o rio
do meio

Lya Luft

o rio do meio

19ª edição

EDITORA RECORD
RIO DE JANEIRO • SÃO PAULO
2014

CIP-Brasil. Catalogação na fonte
Sindicato Nacional dos Editores de Livros, RJ

L975r
19ª ed.

Luft, Lya, 1938-
  O rio do meio / Lya Luft. – 19ª ed. – Rio de Janeiro: Record, 2014.

  ISBN 978-85-01-06601-5

  1. Luft, Lya, 1938- . 2. Escritoras brasileiras – Biografia. I. Título.

03-0222

CDD – 869.98
CDU – 821.134.3(81)-94

Copyright © 1996 by Lya Luft

Capa: Leonardo Iaccarino

Texto revisado segundo o novo Acordo Ortográfico da Língua Portuguesa.

Todos os direitos desta edição reservados pela
EDITORA RECORD LTDA.
Rua Argentina, 171 – 20921-380 – Rio de Janeiro, RJ – Tel.: 2585-2000.

Impresso no Brasil

ISBN 978-85-01-06601-5

Seja um leitor preferencial Record.
Cadastre-se e receba informações sobre nossos
lançamentos e nossas promoções.

Atendimento e venda direta ao leitor:
mdireto@record.com.br ou (21) 2585-2002.

EDITORA AFILIADA

*A meu pai, Arthur, para quem eu
não era só uma criança:
era uma pessoa.*

Sumário

1 | *Assobiando no escuro*   *11*

2 | *Eu falo de infância e madureza*   *17*

3 | *Eu falo de mulheres e destinos*   *37*

4 | *Eu falo de homens e seu sonhos*   *59*

5 | *Eu falo da vida e suas mortes*   *85*

6 | *Eu falo de ficções como realidade*   *109*

7 | *Notas para um roteiro improvável*   *119*

8 | *Deus é sutil*   *125*

*"O botão desaparece na flor que desabrocha,
como se ela o negasse; da mesma forma,
o fruto coloca-se em lugar dela como se
a existência da flor fosse falsa. Essas formas
não apenas diferem, mas rejeitam-se
como incompatíveis. Porém não só não
se contradizem, como uma é tão necessária
quanto a outra, e significa a vida do todo."*

Hegel

1 | *Assobiando no escuro*

*"Sempre que se conta
um conto de fadas, a noite vem."*
Clarissa P. Estés

Há temas que se repetem, perguntas que se perpetuam; inquietações coincidem entre o escritor e seus leitores, entre quem dá algum depoimento e quem assiste.

"Por que você escreve?" é a primeira e universal indagação. Um escritor respondeu que se parasse de escrever morreria, portanto escrevia para não morrer; uma mulher dizia que escrevia para não enlouquecer, outra revela que o faz para ser amada.

Sou dos que escrevem como quem assobia no escuro: falando do que me deslumbra ou assusta desde criança, dialogando com o fascinante — às vezes trevoso — que espreita sobre nosso ombro nas atividades mais cotidianas. Fazer ficção é, para mim, vagar à beira do poço interior observando os vultos no fundo, misturados com minha imagem refletida na superfície.

Tudo isso é jogo — contraponto da vida concreta, onde não me atraem as sombras mas o sol. Não vigio em quartos fechados,

o rio do meio | 13

mas amo o vasto mar; não me esgueiro, mas, apesar de todas as fragilidades, avanço.

Minha literatura não emerge de águas tranquilas: fala de minhas perplexidades enquanto ser humano, escorre de fendas onde se move algo que, inalcançável, me desafia. Escrevo quase sempre sobre o que não sei.

O artista — na minha linha de trabalho, gente da minha espécie — guarda a visão mágica da infância, quando o real e o imaginado convivem sem problemas. As entrelinhas — mais importantes do que as linhas — espelham essa dança de máscaras e desvendamentos.

Criar personagens trágicos não significa que o autor seja pessimista: muitos humoristas são calados e deprimidos. Nem sempre a filosofia de meus personagens tem muito a ver com a minha, nem vivo as suas trajetórias. Mas sou mãe desses que dormem dentro de mim como filhos possíveis, sementes plenas do sono do fruto.

É preciso não sucumbir quando naufragam. O que nos resguarda? Que mão nos segura à margem? Talvez a crença de que tudo faz parte do mesmo fluir: amor e solidão, nascimento e morte, entrega e decepção. De que algum sentido existe — o essencial, que nossa inquietação procura.

Tenho um olho otimista que vive (e convive) e um olho pensativo: este, contempla, perscruta, inventa suas ficções.

•

Escritores devem escrever, não falar. Talvez por ser uma espécie de moda, porém, somos a toda hora chamados a depor sobre nosso trabalho, em seminários de literatura, em grupos

14 | *lya luft*

de mulheres ou de psicanalistas, para colegiais e universitários, ou ainda na televisão.

Nessas conversas levantam-se outras dúvidas: O que penso da vida? Por que não abordo diretamente as questões sociais nem deixo claras as características do meu país? E as relações humanas? Por que escrevo mais sobre mulheres? Por que tanta angústia? Por que em quase todos os meus romances aparece uma criança morta? E a morte — por que tanto escrevo sobre ela?

Se entrevistarem dez escritores, haverá dez depoimentos diferentes. Cada um vive e trabalha do jeito que é: mais cerebral ou mais emotivo, mais racional ou mais intuitivo, mais ligado a temas históricos e sociais, ou escavando obsessivamente a paisagem interior. Nunca preparei por escrito esses depoimentos: mais interessante era o que os outros tinham a questionar. Muita reflexão levei desses encontros, muitas novas indagações.

Este livro será um apanhado desses diálogos — portanto, pertence um pouco aos que deles participaram comigo. Não será uma autobiografia, embora o leitor ingênuo teime em achar que o escritor viveu todas as experiências de seus livros. Não será uma obra da imaginação, ainda que entre elementos reais haja outros inventados; várias dessas histórias me foram contadas, algumas criei, outras acompanhei ou vivi.

Nem sempre quando eu falar em primeira pessoa estarei relatando coisas minhas; não estarei sendo objetiva todas as vezes em que usar da terceira pessoa. Esse é um jogo proposital, que me dá prazer. Não me interessa delimitar o vivido ou o inventado. A realidade objetiva — se existe — importa menos: o mundo chega até mim filtrado por minha visão pessoal.

o rio do meio | 15

Como nos romances, aqui falarei por avanços e recuos, em elipses, com idas e vindas, escondendo a ponta do fio para desembaraçar o novelo mais adiante, e não temo repetições: são retornos numa luz um pouco mais nítida ou mais difusa.

•

Este será, sobretudo, o meu *livro das interrogações*: sobre as relações pessoais, a prodigiosa vida, o limite entre a fatalidade que nos tange e o momento de tomarmos nas mãos as rédeas do destino. Quero fazer do meu leitor um cúmplice ainda que anônimo, um interlocutor ainda que silencioso.

Escrevo de amores: a euforia da entrega e a dor da separação, a alegria de construir a quatro mãos — e o vazio quando o amor acaba. O absoluto silêncio da morte onde a pessoa amada pode se ocultar sem uma explicação ou um sinal, e passaremos um tempo de luto indagando: Onde está você que ontem ainda dormiu em minha cama, que se pudesse jamais me deixaria tão sozinha, onde está você agora, para onde foi?

Falo das amizades eleitas, que não acabam como acabam tantos amores; falo de delicadeza e compaixão. Falo de ligações que fogem às regras, escapam a qualquer padrão, e têm uma substância de encantamento que ninguém fora desse círculo mágico jamais entenderá.

Minhas ficções são a ponte sobre o fosso que separa o sonhado e o real. Nela caminha quem, como eu, ofuscada pela luz que vem de cima, examina a sombra instigante que se estende embaixo — e nessa indagação vive parte de seu destino.

2 | *Eu falo de infância e madureza*

"Eu era uma esteta, não uma atleta,
e meu único desejo era
o de perambular em êxtase."

C. P. Estés

Era uma vez uma menina que não sabia qual o seu lugar no mundo. Ser uma mulher prendada era o que ensinavam às suas primas e amigas; ela queria destapar o poço que rumorejava dentro de si — e não tinha com quem falar sobre isso.

Nunca seria uma dessas meninas que bordavam lindamente, aprendiam a cozinhar e tocavam piano muito melhor do que ela jamais conseguiria. A música abria-lhe os caminhos do maravilhoso, mas os dedos eram indisciplinados, parecia desprovida de capacidades que qualquer outra menina manejava sem esforço.

Com a melhor das intenções, tentavam adestrá-la: ela, porém, teimava em mirar-se no inenarrável, e muitas vezes não sabiam o que fazer com uma criança assim.

Tinha momentos de euforia, divertia-se imensamente com algum detalhe sem importância, mas também pressentia que tudo era efêmero. Nas horas felizes, de repente sentia a punha-

o rio do meio

lada: tudo isso ia acabar. Um dia, logo ou no futuro, ia acabar. Todos nós íamos acabar — pior ainda — no negrume da morte.

Não sabia o que na madureza aprenderia: que todas as coisas quando acabam são substituídas por outras; que a vida não se reduz mas cresce, e é em tudo um milagre.

●

A palavra saboreada a sós: nem com a pessoa mais amada conseguia partilhar inteiramente essa sensualidade da alma, essa beleza que habitava nela ao mastigar no secreto de sua boca a palavra 'açucena', encontrada no livro da escola de manhã.

Correu para a mãe e disse:

— Mãe, eu queria tanto me chamar Açucena!

Os adultos puseram-se a rir, mas ela continuou nesse amoroso jogo com palavras, frases, poemas inteiros, com imagens e invenções. Tinha aprendido: havia felicidades que era impossível dividir.

●

Foi uma aluna medíocre. A escola parecia uma prisão da qual espiava o céu pensando em como seria bom estar em casa lendo, com chuva na vidraça.

Em matemática era péssima: que lhe interessava quantos metros de trilhos teriam de ser colocados, em quantas horas, para que o trem fosse pontual? Queria era saber da paisagem, dos destinos que seguiam nos vagões, dos rostos nas janelas. Mesmo adulta, nunca teve certeza de que dois mais dois fossem sempre quatro. Por que não quatro e meio de vez em quando? Na vida, pelo menos, sempre lhe pareceria assim.

Era ruim também em geografia: não conseguia decorar qual o rio mais longo do mundo nem a sua extensão, mas imaginava as águas chapinhando nas margens e a voz dos pescadores chamando uns aos outros quando tinham fisgado um peixe maior.

Em ciências, dados de experimentações não lhe diziam nada. Intrigavam-na os bichos e as plantas, as nervuras da asa de uma abelha: tudo adquiria significado se trouxesse beleza.

Cansava-se nas aulas de gramática: linguagem era sortilégio, e importavam — mais do que as linhas — os caminhos da fantasia.

Por tudo isso, era um fracasso permanente. Não esqueceria os dias em que o pai a chamava ao escritório, onde ouvia as palavras infalíveis:

— Estou profundamente decepcionado com você.

Aquele deus, amado acima de tudo, a encarava como se fosse uma ré. Mais ainda, doía-lhe reconhecer que não ia mudar nem fazer o pai entender que não era birra ou negligência: era falta de talento para ser melhor. Seus dons limitavam-se ao que lhe interessava: então, alçava voo. No mais, arrastava-se sem alegria, sentindo-se irremediavelmente devedora.

Sobre isso, também, escrevo: sobre dívidas, e sobre aceitarmos que nos cobrem mais do que devemos.

●

Por mais bem dada que fosse, para ela a aula era monótona. Pensava no que tinha lido na noite anterior sobre os jardins suspensos da Babilônia; imaginava gramados e palmeiras pendurados entre a terra e o céu.

o rio do meio

Para sair do torpor, foi devagar empurrando a caixa de lápis e canetas até à beira da mesa; mais um pouco, esqueceu os jardins aéreos e começou a achar graça. A caixa caiu e esparramou no chão o seu inútil conteúdo; vários dos meninos se jogaram de quatro entre as carteiras para reunir tudo outra vez.

Tumulto na sala, risos. O rosto do professor, vermelho de indignação, indicava a porta e o caminho para a sala do diretor, já tão familiar.

Queriam que fosse obediente e atenta, que não caísse na risada fora de hora, que não devaneasse durante as aulas e finalmente domasse a letra que cambaleava em garranchos pela folha de papel.

Mas ela, infantil ainda, roendo a ponta do lápis, imaginava se os morros que rodeavam a pequena cidade não seriam povoados de duendes. Sonhava que um amado viria, no futuro não muito remoto, libertá-la do destino de ser incompetente e inadaptada e de tão raramente poder fazer o que queria.

Afinal, o que queria? perguntavam os adultos. Ler e sonhar sem nenhuma voz impaciente chamando para cumprir tarefas desinteressantes. Depois, que lhe aplacassem as curiosidades e lhe dessem algo para derrotar os medos.

Mas isso era restrito ao cobiçado reino adulto, onde mulheres usavam joias, bebiam e fumavam, enquanto os homens entretidos com questões graves pareciam tão seguros de si como se já tivessem resolvido as estranhezas todas: viver, tentar compreender, morrer.

Nenhum deles parecia conhecer as inquietações que faziam da insônia a sua visitante regular.

●

22 | *lya luft*

Por não ser boazinha, explicaram, pela rebeldia contra tudo que achavam bom para ela, no fim da infância foi mandada para um internato onde trocou o quarto de criança mimada por um dormitório que lhe parecia imenso, dividido em celas por biombos de pano branco, baú de roupas debaixo da cama — tudo impessoal. A certeza do abandono vinha devorar sua alma à noite, e não a deixava de dia, quando estudava, comia, vivia no meio de dezenas de outras meninas.

Numa das longas mesas do refeitório sentavam-na em frente da diretora de olhos como vidro azul.

— A princesa não acha nossa comida boa o bastante — dizia para todas ouvirem. A menina engolia lágrimas, raiva e solidão junto com as refeições preparadas sem afeto.

À tardinha, quando as internas se reuniam no pátio da escola, onde havia uma pequena elevação cheia de árvores e se viam ao longe morros azuis parecidos com os que rodeavam sua cidade, ela ficava quieta, isolada, imaginando como poderia fugir dali.

— Se a gente caminhasse sempre naquela direção, em quantas horas chegaria em minha casa? — perguntou, inocentemente, a uma colega mais velha, que não soube responder, mas tentou confortá-la:

— Daqui a pouco você se acostuma, todo mundo no começo tem saudade.

Mas ela não queria se integrar: precisava, talvez, salvar-se aceitando o que lhe acontecera.

"Se me castigaram tanto, e são pessoas boas, e me amam como dizem, com certeza devo ser muito má." Era o seu jeito de tentar se consolar.

Naquele breve tempo comeu a cada segundo o amargo pão do exílio. Não adiantava saber que pais botavam filhas naquele

o rio do meio | 23

internato porque as amavam, se preocupavam com elas, porque as queriam bem treinadas para serem boas mães e mulheres no futuro: fora expulsa do seu paraíso.

Meses depois, condoídos, resolveram tirá-la de lá. Nunca esqueceu a sensação de voltar para casa: num trem, cabeça no colo do pai, levada de volta ao céu — embora não o tivesse merecido. Mas a rejeição instalara-se nela: essa falha no chão de seus passos nunca mais se fechou.

Trinta anos mais tarde voltou a esse lugar, agora uma escola moderna. No instante em que pisou no vestíbulo de gastos losangos pretos e brancos teve de apoiar-se na parede para não desmaiar: velhos tormentos a ameaçavam.

Também disso eu falo: do desencontro quando o amor dos adultos deixa o mundo de uma criança em irreparável desordem.

"Minha alma talvez seja reta e boa;
mas meu coração, meu sangue secreto,
tudo isso que me dói
não a consegue manter ereta."

Rainer Maria Rilke

A infância são ilhas de magia e também águas de terror: os segredos adultos que não nos abrem lugar, os objetos cotidianos, tudo serve para atormentar uma fantasia não domesticada.

Nas noites da infância a insônia foi minha companheira. Eu acendia a lâmpada de cabeceira e ficava lendo; vedava a fresta debaixo da porta com roupas para que os adultos não me invadissem com suas regras e proibições. Quando ainda não podia fazer dos livros meus companheiros, tapava a cabeça com a coberta, tão apavorada que não conseguia me mexer nem chamar ajuda. Espectros estendiam a mão para me pegar, me arrastar para a noite, o escuro, o nada. A morte. Terror de rostos escaveirados e crânios pelados encostando-se nas venezianas, medo daquela mão magra surgindo debaixo da cama — ao seu toque eu ficaria congelada para sempre.

Medo de acordar e todos terem morrido, ido embora. Medo.

Criança pode ter — sem nenhuma razão concreta — medo de ser abandonada, de que a mãe não volte, de que o pai desapareça. Medo porque alguém diz: "Seu pai trabalha feito doido pra te

o rio do meio | 25

sustentar, e você só incomoda. Sabia que ele já está até sofrendo do coração?" Ou: "Sua mãe é maravilhosa, a melhor mãe do mundo, mas você é uma menina ingrata, vive desobedecendo."

Há medo pela falta de delicadeza dos adultos, ironias doendo mais do que puxões de orelha — é preciso, tantas vezes, dissimular.

Mais que tudo, medo da traição: "Parece que gostam mais de meu irmão, minha irmã, minha prima, certamente porque eu não consigo fazer nada do jeito que desejam."

●

Algumas crianças sentem a presença do secreto que outros nem percebem. Conheci uma que olhava suas tiazinhas, tão domésticas, o poderoso pai e a linda mãe, e pensava: "Será que todos eles — tão diferentes de mim — são apenas o que parecem ser?" No seu coração agitavam-se redemoinhos soprados por um vento não se sabia de onde. Para ela talvez todo o amor não fosse garantia suficiente.

Essas meninas e meninos tocados pelo mistério serão no futuro atores, bailarinos, escultores, escritores. Sem a sorte e a audácia de seguirem esse destino, podem até se tornar sólidas pessoas cuja vida se desenrola sem maiores dramas. Mas hão de trazer dentro delas a chama que as ilumina, e perturba, e as mantém humanas.

●

Falo de uma menina, esta menina. Aos 12 anos fiz meu primeiro poema, "Deus":

Mágica força que governa o mundo,
representas um céu negro e profundo
que envolve em crepe toda a humanidade.

Esqueci o resto, e não guardei nenhum dos muitos escritos
da infância e adolescência. Esse, recordo. O gosto é ruim e a
visão demasiado sombria. Quem escrevia assim, em seu quarto
claro e sossegado? Uma adolescente que explodia em riso sem
motivo aparente; que amava sua casa e sua família, sonhava
entre seus livros ou deitada na grama adivinhava o desenho
das nuvens; que embalada na rede cantava invenções suas, e
queria ser absurdamente feliz.

•

Diante da janela florescia no inverno um pé de magnólias
cuja neve durava poucos dias, mas era perfeita. Os primeiros
calores amareleciam as pétalas de porcelana, e — como tudo o
mais — o instante de beleza perecia.

Era essa a voz da minha claridade e a dança de minha
sombra.

Na época eu estava lendo desde teatro grego até revistas em
quadrinhos, romances água com açúcar e livros de aventuras
que seriam mais para meninos do que para uma pré-adolescen-
te. Tudo era objeto de minha curiosidade; nos livros estariam
todas as respostas — o saber que me tornaria igual aos adultos,
dona de minha vida e senhora dos meus medos. A biblioteca
de meu pai era o reino de todas as promessas: até hoje o cheiro de livro, couro de poltrona e fumaça de cigarro significa
aconchego e paz.

o rio do meio | 27

Não faz muito tempo alguém me contou que fora aluno dele já em seus últimos anos, e ficara impressionado com a simplicidade com que, recebendo-o em casa, vendo-o avaliar a quantidade de livros, o velho mestre dissera, abrangendo com um pequeno gesto as quatro paredes ao seu redor:

— Estes são os meus amigos.

Quando criança eu não imaginava que um pai pudesse sentir-se solitário. Era inocente.

•

Crianças olham a vida com olhos grandes de admiração; têm uma graça que o tempo vai lhes tirando como uma película que ficasse pequena demais para a alma. Algumas saem em busca desse espaço interior que transbordou, dessa sua verdadeira humanidade. Não se deixam domar, escapam por alguma brecha e correm em frente brandindo sua inquietação como uma tocha.

Outras cedo tomam consciência de si, do que devem ou não fazer ou — pior ainda — é conveniente fazer. Os gestos vão se tornando cautelosos, o corpo já não tem a luz que vem de dentro: são treinadas no rigor de suas obrigações, ou esvaziadas pela futilidade dos conceitos com que as vamos vestindo.

Eu me pergunto, vendo-as assim delicadas, como é possível que um dia se transformarão em criaturas a quem uma pequena flacidez do corpo apavora mais do que as entusiasma o milagre de viver, e a competição para ser a mais invejada ou o mais poderoso rouba o tempo de ser naturalmente uma pessoa.

Esconderão a cabeça sob os lençóis, quando — casualmente como costuma fazer — a Morte agitar no canto do quarto a sua veste, soltando o seu odor que não é apenas decomposição mas urgência de arder e entender?

Haverá, em suas almas anêmicas e sua ossatura precária, um peito onde acomodar um filho ou um abraço onde a pessoa amada se encontre?

Mas também me interrogo sobre seres humanos que foram tolhidos pelas obrigações, pela grosseria dos pais ou da pessoa escolhida para ser sua parceira. Incapazes de administrar sua própria existência, tangidos como animais comprados a preço inferior, sem tempo sequer de entrar em si e avaliar-se — ou com medo da amargura do que lhes seria revelado.

Tornam-se autômatos, escravos, alguns se deixam domar. Mas se escutassem, se um dia escutarem, o coração continua a rumorejar: "O que fiz, o que estou fazendo de mim mesmo?"

●

Falo das crianças que não foram crianças, tendo de cuidar dos irmãos menores porque são pobres e a mãe trabalha fora o dia inteiro. Essas não têm talvez o tempo do sonho. Ou quando buscam água com um bebê no braço, outro agarrado ao vestidinho velho, quando lidam no fogão precário, quando trabalham em fábricas, com ferramentas grandes demais, quando pedem pão na rua, quando se prostituem ou mesmo se vão à escola — da qual logo terão de desistir — tão cansadas que mal podem prestar atenção, quando brincam com outras crianças na calçada, quando à noite dormem um sono de pedra, sonharão até mais do que as outras, porque é tudo o que lhes resta?

Falo das crianças que vivem em quartos bem decorados e frequentam boas escolas, mas cujas mães — jovens e bonitas

o rio do meio | 29

— parecem estar de passagem, impacientes e apressadas, perdidas sem uma babá-quase-perfeita que substitua a sua rala maternalidade.

Penso em crianças que observam o pai chegar cansado e mal tocar o rosto da mulher que o recebe amuada; esse pai em cujos braços a criança gostaria de se atirar para consolar e dar afeto, porque às vezes ele também parece tão sozinho.

Falo das que ouvem palavras ásperas ou assistem a cenas violentas, prometendo a si mesmas jamais amar. Ou convencem-se de que a vida é assim, e hão de repetir o padrão que lhes foi mostrado. Ou, ainda, apostam que em seu casamento tudo será perfeito, fazendo dessa utopia uma carga que as destruirá.

Lembro-me das meninas do campo, que engravidam cedo como as frutas que amadurecem precocemente e levam sua lida difícil, onde o pôr do sol é apenas hora de ir dormir, e dos meninos cuja paisagem é calculada em quadras a serem lavradas, e a chuva pode não ser um alívio mas uma ameaça à colheita da qual a família depende. Sonham porém, e posso seguir esse rastro: a cidade e suas luzes, perfumes, carros, rapazes de cabelo comprido e olhar mortiço, moças sedutoras.

E quais serão os desejos das crianças calmas e organizadas que trilham seu destino sem grandes turbulências? Quando menina, eu mesma as invejei. Serão serenas mulheres, bons funcionários, mães sem mão de ferro, pais sem tapas irritados nem noites insones? Sua inquietação terá as dimensões de sua alma — ou terão nascido sabendo muito mais do que nós — as inquietas criaturas buscadoras?

"Deus me deu um amor no tempo da natureza (...)
Deus — ou foi talvez o Diabo — deu-me este
amor maduro e a um outro agradeço,
pois que tenho um amor."

Carlos Drummond de Andrade

Tem mais de quarenta anos. Pela primeira vez viaja ao exterior, cheia de incertezas. A vontade mesmo era ficar no conforto dos objetos familiares, a vida previsível.

Vai num grupo de trabalho mas está sozinha. Uma tarde vê-se obrigada a atravessar a cidade sem companhia: dá os primeiros passos repetindo mentalmente o roteiro, segura a bolsa como se fosse a bússola de sua segurança.

Então começa a perceber o sol pálido nos telhados, o céu sedoso, o ar diferente, e é tomada de euforia: está num país remoto, numa cidade desconhecida, consegue andar e orientar-se — *e não sente medo*. É uma alegria inquietante para ela, que nunca imaginou estar feliz longe da família. Antes, isso lhe pareceria uma traição. Agora, caminhando no vento, no chão das ruas novas, começa a dizer em voz alta: "Eu sou uma pessoa! Eu sou uma pessoa!" E ri de si mesma, lágrimas nos olhos, como se tivesse acabado de nascer. Está só. Está livre, está completa, e, nesse instante, sem nenhuma culpa. É capaz — sabe disso agora.

Nada a teria impedido de descobrir isso antes, não poderia acusar ninguém de estar querendo podá-la ou abafá-la. Eram

o rio do meio | 31

amarras que a prendiam, um confortável papel que aceitara e assumira porque assim "todo mundo" pensava e agia.

Encontrara em si uma pequena alma transgressora, ainda que de limites tão ínfimos que alguns até achariam graça. Naquele dia compreendeu que amadurecera.

Entrou numa joalheria e comprou um anel que nunca mais tirou do dedo: sua aliança consigo mesma e com a sua verdade.

•

Amadurecer foi retirar os rostos e as peles e começar a ver no espelho o verdadeiro eu — onde se lê uma severa contabilidade dos gastos e lucros, saldos nem sempre tranquilizadores. Quanto de amargura, quanto de bom humor sobrou, quanta capacidade de se renovar?

Entender que não precisamos ser onipotentes é uma das maiores libertações. Ninguém, homem ou mulher, pai ou mãe, pode ser totalmente responsabilizado pela sorte de ninguém, por seus erros e acertos, por sua solidão ou felicidade — a não ser na medida justa, em que se é responsável por quem se ama, dentro dos limites da capacidade de cada um.

Na maturidade percebe-se que não importa tanto o que fizeram conosco, mas o que fizemos com o que eventualmente nos aconteceu. É uma indagação dramática, que na juventude parece algo a resolver num futuro muito remoto. Mas "de repente, tinham-se passado vinte anos". E nós, e nós? Precisamos descobrir que amadurecer não significa desistir nem estagnar.

•

Por que escrever um primeiro romance só aos quarenta? Nessa idade, mulheres da minha geração — talvez por terem criado os filhos sobrando-lhes agora o tempo de olhar para si mesmas sem tanta pressa nem culpa (sou de uma geração essencialmente culpada) — começaram a exercer novas atividades. Descobriram-se capazes de insuspeitadas realizações, como abrir uma loja, entrar numa faculdade, esculpir, escrever. Ou apenas viver melhor aquilo que já tinham.

Muitas assumiram em definitivo a persona da mãe e mulher devotada, cuja principal função é fazer tudo na família "dar certo", ainda que não se saiba o que isso significa e que consequências terá. Sua capacidade pessoal, desejos e ambições, suas potencialidades também "deram certo"? Ou ela jamais se permitiu refletir nisso — frustrando-se e passando a cobrar dos outros o que não lhe deviam?

Na linha de um feminismo radical, a resposta seria que não há vida plena sem igualdade da mulher ao homem em todos os terrenos. Mas conheci mulheres que eram "só" donas de casa e me pareceram mais serenas e sábias do que várias profissionais competentes de vida atormentada e personalidade instável. Talvez se despreze demais o cotidiano. Quem sabe está nele o verdadeiro mistério, nesse acumular coisas, regras, gestos e convenções, para organizar a vida diária? Tudo isso pode parecer mais estranho e complicado do que o rastro das estrelas que obedecem a rotas determinadas e imutáveis.

O jogo é outro, os dados que se lançam caem num tabuleiro intrincado: por isso, quem sabe, escrevo mais sobre mulheres.

o rio do meio | 33

Repensar e enriquecer sua vida quando mantê-la apenas por comodismo seria falso resultou nessa rica produção da arte feminina, muitas vezes de mulheres em plena maturidade. Quando os filhos cresceram, quando a monotonia se insinuava, notamos que ainda sobrava energia e vitalidade: à frente estendiam-se caminhos inexplorados. Uma ou outra sentiu que era preferível ousar a desistir.

A insegurança decretara que eu jamais escreveria senão crônicas e poemas. O jogo que desde criança me atraía tanto me parecia vedado: faltava talento, força, motivação.

Por outro lado, estava na posição confortável do "Eu? Imagina!" que nos exime de muito risco. Intuía que ao escrever romances iria extrair das entranhas personagens dramáticos, evocar medos e dúvidas, bem além da minha experiência pessoal — pois falamos por outros, por muitos, por todos. Que duendes iriam escancarar os armários onde estavam trancados — e o que fariam comigo? Que espaço exigiriam em meu organizado cotidiano? Por que tirar do sossego demônios, neuroses, loucura e morte que nem eram meus? A fatídica "opinião alheia" também me constrangia: escrever e publicar foi um dos últimos exorcismos desse fantasma.

●

Eu era quase uma criança, num meio e num tempo em que "o que as pessoas vão dizer" tinha uma importância que hoje talvez nem se possa avaliar. Não lembro qual o motivo, mas meu pai me chamou ao seu escritório e, com a simplicidade habitual, explicou-me que a opinião alheia não tem importância: só terá o valor que a gente lhe atribuir.

Lembrei de meu velho pai, já morto, quando decidi publicar meu primeiro romance.

— Sente-se e escreva romance — disse-me o meu editor de então, quando lhe mandei uns contos. — Seus contos são todos romances abortados, você é uma romancista!

Gaguejei ao telefone, explicando-lhe que não, nunca, eu era lacônica, uma escritora de fôlego curto... Além do mais, tudo o que podia imaginar como ficção minha parecia esquisito. Mulher instalada, com família saudável, rodeada de afetos, restava-me a grande pergunta que tantas pessoas se fazem (ou tentam abafar) uma vida inteira: "Para que sirvo eu, eu sozinha, que dom tenho, afinal, ou (como sempre me pareceu) não tenho nenhum? Qual o meu lugar no mundo, o que fazer com as minhas indagações, como atender ao que me chama além do meu território pessoal — e a que limites isso me vai levar?"

Sabia que, se abrisse a porta para o que — no fundo de mim — queria ser arrancado, elaborado, assentado, transfigurado em linguagem, teria nas mãos, como plantas carnívoras ou carvões em brasa, um material inquieto e inquietante. Demorei a me decidir, mas sabia: enquanto não o fizesse, não me libertaria da perigosa atração das sombras.

o rio do meio | 35

3 | *Eu falo de mulheres e destinos*

*"Mal conseguem conter-se a si mesmas;
muitas deixam-se encher até a beira,
e transbordam de tanto espaço interior."*

Rainer Maria Rilke

"Sua literatura fala de mulheres", disseram ao me apresentarem num seminário. Fiquei refletindo sobre isso, que se tornou o estribilho desencadeador deste livro: pois em minhas histórias não aparecem só mulheres, mas homens e crianças, casas com sótãos e porões ou banalidades, e a família — ninho ou jaula. Falo também do estranho atrás de portas, mortos que vagam e vivos que amam ou esperam. Tudo ainda me assombra como quando eu era uma menina que queria entender o mundo para nunca mais ter medo.

Mas falo mais de mulheres do que de homens. Talvez por ser mais fácil para mim; o escritor é e não é seus personagens, reveste-se deles, encarna-os. Sabe tudo a seu respeito: o que sentem, pensam, temem ou desejam.

Sei se aquela mulher usa algodão ou seda, conheço seu perfume, percebo o cheiro de sua sala, escuto se a escada range (ou não) quando ela caminha — ainda que nenhum desses

o rio do meio | 39

detalhes apareça no romance. Imagino se aquele homem é triste, se tem medos secretos, se pensa na morte, se desejaria ser mais amado. E quando começo a "ser" essa pessoa, quando o clima da obra me envolve e me arrasta, chegou o momento: o livro *quer* ser escrito.

Tudo gira em torno de uma mulher resignada ou inquieta, acossada por fantasmáticos terrores ou apenas desejosa de se encontrar inteira. Depois vou construindo para ela um universo: pessoas que a rodeiam, que a amaram ou destruíram, que ela pariu ou de quem teve de se despedir, começam a agrupar-se ao seu redor com circunstâncias amargas ou alegres.

Invento-lhe um passado. A infância, nascedouro de medos e carências, chão sobre o qual caminharemos: se houver buracos demais, vamos tropeçar mais facilmente. Procuro adivinhar sua maturidade, as experiências positivas que talvez não compensaram tudo — mas a gente aprende a contornar essas fissuras e equilibrar-se melhor... ou não.

Meus livros são meu jeito de vasculhar corredores e armários da nossa casa interior, com o olho que nos vigia a mostrar que a vida é solene.

Pensei muito tempo em como escrever sobre o que imaginava ser uma mulher simples: dessas que vejo na feira, com varizes nas pernas e sacolas de verduras nas duas mãos, arqueadas ao seu peso; que conversam entre si falando alto, trocam receitas ou perguntam por parentes enfermos; essas que gastam toda a sua energia em desvelos com a família, e se pensam em si em outros termos além disso, nunca revelam.

Tentei um personagem assim, mas quando comecei a fantasiar sobre a minha simples dona de casa só conseguia pensar: e se essa, *a minha*, for uma *falsa* pacata dona de casa? Se tiver dentro de si um universo diabólico? Se quiser ardentemente ser outra: sensual, perversa e irresponsável, soltando emoções como tentáculos pelos interstícios do que parece controlado?

•

Uma empregada doméstica que de dia cozinhava, limpava e passava para uma família e à noite fazia o mesmo para marido e filhos comentou com a patroa:

— Foi tão esquisito, imagine, outro dia passou uma garça por cima do meu quintal, e me deu uma vontade de ser igual a ela, de sair voando, voando, e não voltar nunca mais.

Espantava-se, pois gostava do marido e dos filhos, não achava injusta nem ruim a sua sorte.

Porém o cotidiano — que parecia ser o seu único reino — não podia contê-la: seu olhar interior migrava para outras regiões.

Num romance eu quis inventar uma alma sem perplexidades; mas uma força maligna insinuava-se no texto, Alice de um espelho funesto. Talvez não exista essa simplicidade que desejo: tanger os dias para um fim do qual pouco se imagina a não ser descanso e recompensa — desde que merecidos. Ninguém com essa alma renunciante, em paz à mesa da cozinha diante da xícara de café, olhando o seu quintal sobre o qual nunca se arqueia nenhum outro chamado.

Ou na madrugada, quando o galo canta na vizinha, essa mulher está de olhos abertos na escuridão, pensando para si uma outra vida?

o rio do meio | 41

"Tu és a floresta das contradições."

Rainer Maria Rilke

O que é isso, uma mulher? Doméstica ou profissional, artista ou doente em clínicas psiquiátricas, velha que cochila à espera ou jovem que mal levanta voo?

Quem é essa que paga os preços de suas escolhas, luta contra seu medo e sua timidez, defende as crias, mantém inteira a sua família, paga contas, cuida dos pais doentes, esquece-se de si mesma tantas vezes — e depois chora sozinha porque, se continuar assim, não vai nem saber de que pedaço da galinha gosta mais?

Qualquer mulher é essa, não importa a idade e a condição. Mudam os endereços, mudam as ocupações: em vez de escrever no computador ela pode estar lidando na cozinha ou colocando a sonda num doente. Todas temos o grão de inquietude — talvez salvadora — por uma terra prometida.

"O que quer, afinal, uma mulher?", indagava Freud entre irônico e espantado, depois de estudar a chamada alma feminina por mais de cinquenta anos.

A maior parte delas há de ter as mesmas dúvidas: por que às vezes fico insatisfeita se sou privilegiada em tanta coisa? Quando as pessoas que amo têm problemas, por que sempre me sinto tão culpada? Como posso garantir-lhes a felicidade?

A obrigação de ser e fazer "feliz" é um fardo autoimposto, bem típico das mulheres. Pode ser doído admitir: não posso,

o rio do meio

não consigo fazer com que tudo ao meu redor funcione como num passe de mágica, a varinha de condão sendo apenas minha boa vontade, meu desejo de acertar, meu afeto.

Mas ensinaram-nos que temos de manter tudo arrumado: poeira nos móveis, filho em crise ou marido mais calado podem ser um drama. Então levamos o mundo nos ombros e mais nos angustiamos por nos sentirmos angustiadas.

Isso é apenas cultural ou sofremos como vocação atávica, milenar, essa responsabilidade pelo bem-estar do mundo? Por mim, pela minha liberdade, pelo meu crescimento, minha busca de mais humanidade, meu desejo de repensar valores e tirar consequências dessa descoberta... quem é responsável? Como fazer para me entregar com mais alegria a mim mesma, aos trabalhos e às pessoas que amo — ao homem amado em especial?

●

Há um duelo permanente entre duas personalidades que habitam, talvez, todo mundo: uma, a convencional, que faz tudo "direito"; outra, a estranha, agachada no porão da alma ou num sótão penumbroso; que é louca, assustadora, quer rasgar as tábuas da lei, transgredir, voar com as bruxas, romper com o cotidiano. E interfere naquela, "boazinha", que todos pensam conhecer tão bem.

Quando escrevi meu primeiro romance, descobri meu jeito de tentar reunir todas as sombras que se remexiam e chamavam, e de mergulhar, já sem medo, nesse rio do meio que tudo carrega para o mar definitivo.

●

lya luft

Estamos destinados a viver aos pares, e não há de ser apenas pela sobrevivência da espécie. Algumas pessoas vivem bem sozinhas, preenchem a vida com profissão e amizades. A maioria, eu acho, deseja uma presença mais permanente, alguém que as ame e estimule, que as escute, que precise delas, um interlocutor. Mas as relações humanas são em geral tortuosas. Mulheres cheias de ardor e ternura entregam-se a ligações que aos poucos as vão esvaziando: tornam-se amargas, secas e difíceis de conviver. Mulheres que pouco esperavam desabrocham ao toque de quem sabe amá-las e as consegue compreender.

Mas também homens entram em relações das quais esperavam ternura e companheirismo e vão se isolando, lançam-se no trabalho ou em aventuras para se protegerem da dor; a bela mulher por quem tinham se apaixonado em breve se transformou numa matrona queixosa ou alguém distraído que pouco tem a ver com eles.

Do prisma masculino, o universo da mulher há de abrir-se como uma terra de promessas. Imagino homens olhando de lado sua mulher, tão familiar, espantados quando ela se perde em devaneios: "O que será que ela pensa? O que deseja? O que terá vontade de me dizer, sem ter coragem? Quando foi que nos demos o tempo e a disposição de um diálogo íntimo e honesto, só nós dois?"

•

Um amigo me disse:

— Você não vai acreditar, pois vivo com essa mulher há trinta anos. Ela está o dia todo aqui nesta casa, alegre e bemdisposta, cuidando de mim com esse jeito leve e amigo. Mas às

o rio do meio | 45

vezes, quando passa roupa ou costura o botão de minha camisa, me pergunto meio assustado se ela é só isso ou se alguma vez sonha com outras atividades e outra companhia. E não tenho coragem de lhe fazer essa pergunta.

Nem sei se ela mesma se permitiria indagar, pois esse tipo de questionamento, levado a sério, pode alterar uma vida, uma relação ou todo o funcionamento de uma família.

Levantar os panos que encobrem o que nos aflige pode abrir uma caixa de Pandora da qual sairão esvoaçando demônios que trazem aflição e dor. O circo dos conflitos dorme. É preciso audácia para abrir a cortina e saltar na arena junto com tudo o que fingia sossegar, mas nos atormentava tanto.

•

As mais domésticas mulheres podem ser criaturas divididas: queriam amor e família, e quando têm quartos e mãos cheios anseiam por um pouco de privacidade; devaneiam quando o hábito se instala em seu casamento, porém precisam desse apaziguador ritual familiar para terem assegurado o seu lugar no mundo.

As que, além dos laços naturais, têm profissão que as leva para fora do ninho ambicionarão resolver todos os impasses, e às vezes conseguem criar dentro de si um refúgio onde se recuperam ou aprendem a viver melhor.

Na corrida para nos compartimentarmos de formas inacreditáveis, qual o tempo que resta para nós? Não falo desse estado suspenso diante da televisão, que tem o dom às vezes abençoado de nos permitir não pensar. Falo da capacidade de viver. Da disposição para beijar os filhos, para ler jornal e acompanhar o mundo, para amar o parceiro com o antigo fervor. Difícil também, nesse tumulto, abrir o silêncio das interrogações profundas.

Seria preciso dividir cada mulher em três: uma que corresse para o trabalho, outra que tomasse providências por sua família e uma terceira que escapasse para a beira do mar assistindo quieta ao pôr do sol.

Os homens se assombrariam vendo como, por outro lado, podem ser simples os desejos das mulheres: um pouco de lazer, talvez sozinhas; sentir preguiça sem culpa; andar pela casa na silenciosa madrugada e ninguém acender a luz perguntando: "Ouviu algum barulho?" E o que ela ouvira era apenas o rumor de seus próprios desejos, que de dia nunca tem tempo de escutar.

De vez em quando uma delas olha pela janela, por cima da pilha de roupa para passar ou da tela do computador, contempla o voo de uma garça e gostaria de desaparecer, ao menos por umas poucas horas.

Ou para sempre? Então se sobressalta, olha ao redor, para o seu amado cotidiano, arrepende-se e procura compensar com mais desvelo o irreconciliável dilema, arquivando a angústia, mas também todo o desejo.

No meio das atividades comuns, na corrida profissional ou no torvelinho familiar, algo nos observa dia e noite com seu ar de ameaça e seu hálito de sedução. Por mais condicionadas que estejamos a não pensar, a agir como se tudo fosse só o agora, os segredos desvendados e as gavetas em ordem — lá está.

•

Andamos atordoadas nesta era de tantas inovações. As mulheres — como os homens — não são as do outro dia, nem temos certeza do que é positivo ou precário.

Em reuniões importantes muitas vezes olho em torno e sou forçada a reconhecer: o mundo, esse mundo exteriorizado, o dos negócios, das decisões coletivas, das enormes somas de dinheiro e poder, ainda é um mundo de homens. Quanto tempo levará, quanta emoção custará, e valerá todo o empenho dividir esse universo igualmente em dois?

A ligação biopsíquica da mãe com seus filhos é diversa do que os homens possam sentir, mesmo os melhores pais. É uma força primitiva que não se deixa abafar por mais que sejamos modernas e organizadas.

As decisões pressionam: filho na creche, filho em casa com babá, filho com avó (ou a avó estará ocupada vivendo a sua vida?). Interromper a carreira profissional? "Optar" pode significar liberdade, mas também grave aflição.

48 | *lya luft*

*"(...) Meu coração há de ser uma torre,
eu próprio colocado fora dela: onde não
há nada mais, nem mesmo dores,
nem o indivisível, nem mesmo o mundo."*

Rainer Maria Rilke

Conheço as mulheres ocas: um dia foram meninas plenas da semente do seu destino, mas em algum momento a perderam, ou lhes foi subtraída. Desumanizadas, desmaternalizadas, não riem muito para não criar rugas, não amamentam para que os seios não caiam. Afivelam uma sobre a outra máscaras cada vez mais inexpressivas em que os anos, os amores, as perdas e a ternura não deixaram marcas.

Ouço às vezes seus diálogos, ou posso imaginá-los. Só não imagino o que dizem a si mesmas quando refletem, nesses momentos em que se mergulha (ou se é lançada) no rio interior em busca de caminhos ou respostas, ou desses tesouros que ficam depois de todos os desastres.

"É uma alma árida", disseram de uma bela mulher já idosa, que não conseguira amadurecer: flutuava por aí como se ainda estivesse num jardim de infância — só que os brinquedos tinham acabado, e ela estava a um canto, amuada, batendo pé.

Fechada em sua postura de criança, amargurava-se porque já não a mimavam. Vivia como se não tivesse família. Amigos não conservara, não construíra um sentido para estar no mundo.

o rio do meio | 49

Passara de uma família rígida para um marido que desempenhara o papel dele esperado: o forte, o protetor e o provedor. Perdendo-o, ela perdera todos os seus referenciais.

Muitas dessas mulheres, quando ficaram sozinhas, não se reconstruíram. Se não conseguiam amadurecer, ainda que tardiamente, sentiam-se injustiçadas: a vida lhes passara uma rasteira, privando-as do suporte daquele que pensava e decidia, praticamente vivendo em lugar delas, que só se deixavam conduzir sobre um tapete de alienação.

●

Seu marido acabara de morrer, uma dessas mortes traiçoeiras sem aviso prévio, nenhuma indenização à vista — tão cedo não haveria férias dessa dor.

Ainda sob efeito do choque inicial, lembrou que devia telefonar à mãe antes que esta soubesse por terceiros e se preocupasse ainda mais. Então, tendo de pedir a outra pessoa que ligasse porque seus dedos tremiam tanto, ela foi dizendo, em soluços:

— Mãe, fique calma, eu estou bem, mas tenho de lhe contar que 'X' morreu esta madrugada.

A resposta que ouviu, num primeiro impulso de total honestidade, lançando uma dessas sentenças que jamais poderia ser revogada, foi:

— Que horror, minha filha! Agora você ainda vai poder me dar minha mesada?

Gosto de falar de almas generosas, sei da capacidade das mulheres que exercem uma maternidade gratuita (que salário nenhum recompensa) junto de um doente que nem conheceram antes. Nunca o viram quando era saudável, quando

50 | *lya luft*

falava, quando era gentil e tranquilo, e bonito como hoje não se adivinharia. Atendem aos infinitos desvelos que ele sem saber exige; falam-lhe com afeto como se entendesse, e sempre que alguém entrasse em seu quarto o veria impecavelmente cuidado. Quantas mulheres cultas e eficientes, ou ricas e desocupadas, fariam isso por alguém que amaram, com quem dividiram anos — indo tão além do que seria o seu natural dever?

Parece-me que mulheres simples têm uma capacidade que nós, mais sofisticadas, vamos perdendo. Não temos o colo para acolher ninguém. Somos a geração que curte o corpo e busca seus espaços, somos a geração competente e profissional que afirma direitos e cumpre deveres, mas perdemos aquela ternura ampla e ancha de corpo e coração dadivosos.

Fomos definhando à medida que as exigências de nosso tempo devoraram o que talvez tivéssemos de melhor. Enfrentamos demasiados desafios: temos de ser atléticas e independentes, viajamos sozinhas, exigimos maridos bem-sucedidos e compreensivos, sabemos usar cartão de crédito e dividimos a conta com o namorado no restaurante. Mas estamos ocupadas e tensas na maioria das vezes. Pouco tempo sobra para escutar o chamado do outro. Perdemos a ferramenta do companheirismo e da entrega. Nosso ombro é muito estreito para alguém chorar, nosso regaço higiênico demais para que nele se faça o verdadeiro encontro.

•

Não escrevo muito sobre elas, mas há mulheres ensolaradas: sua luminosidade se espalha por toda parte. Mesmo abaladas por alguma fatalidade, ainda que lhes falte o que para tantas

o rio do meio | 51

sobra em beleza ou luxo, têm em si uma espécie de obstinado sol que se desprende delas como um perfume.

Lembro uma de minhas avós, que, depois de ter sido na juventude dona de razoável fortuna, viu o marido perder tudo, e sua circunstância mudar completamente em poucos meses. Lembro dela sentada na varanda de sua pequena casa junto da nossa, ou à sombra de sua parreira (onde colhi as mais doces uvas, as da infância, comidas mornas e sem lavar), tricotando roupas de bebê que vendia para não sobrecarregar com despesas o filho que a sustentava na velhice.

Era uma avó à moda antiga, avó de livro-de-histórias, de uma época em que liberdade para a mulher e teorias feministas eram impensáveis. Se nos visse hoje, correndo entre tamanhas tarefas, atrás da máquina do tempo, abanaria a cabeça com aquele seu jeito divertido, morrendo de pena.

Nunca a vi de mau humor; nunca a ouvi falar mal de alguém, nunca expressava ressentimento. Não se julgava vítima de nada. Estar com ela era bom porque era leve. Há pouco tempo alguém me contou uma lembrança dela:

— Nunca vou esquecer uma vez em que a vi rindo com uma criança nos joelhos, quando você e eu devíamos ser pequenas. Ainda sei a cor do seu vestido, tal foi a impressão que me causou. Alguma coisa nela era tão afetuosa e ao mesmo tempo travessa, tão jovem e ao mesmo tempo sábia, que na hora desejei ser igual a ela, embora fosse bem mais velha do que eu, e sem nada de uma beleza convencional.

A seu modo, essa mulher de duas gerações atrás era uma guerreira, mas nada nela parecia dramático nem tenso.

Hoje há mães e avós atribuladas que só desejariam um pouco de sossego junto das pessoas amadas com quem têm

52 | *lya luft*

pouco tempo de estar. E que são os únicos a saber, por trás das fantasias que os outros tecem a respeito delas, quem essas mulheres são.

•

Neste fim de milênio somos tão diferentes das mulheres antigas? O que mudou em nós? Tudo será tão positivo como nos dizem, e foi outrora tão ruim como parece?

Na Idade Média havia tecelãs inscritas em sindicatos; em todas as épocas, mulheres cultas escreviam, debatiam, influenciavam seu meio. Embora sempre em quantidade bem menor do que os homens, não eram exceções tão raras quanto nos parece. Onde foi parar a história dessas que administravam propriedades e bens quando os maridos iam à guerra, transmitiam a tradição oral da sua gente, eram depositárias de lendas, praticavam medicina e criavam os futuros guerreiros do seu povo?

Rainhas ou mulheres de senhores feudais participaram de campanhas bélicas ao lado do marido, ou em seu lugar quando ele precisava combater em outra parte; séculos atrás, na Europa, mulheres não se dedicavam apenas às intrigas da Corte, mas davam cursos públicos de retórica, falavam latim, conheciam teologia e filosofia. As poucas hoje comentadas só aparecem como esposas de seus maridos famosos. (Joana d'Arc teve o nome perpetuado por si mesma: foi preciso que morresse queimada numa fogueira inquisitorial.)

Tudo isso porque "os livros de história são escritos por homens"? Eles seriam tão poltrões que não cederiam à mulher o seu devido lugar nos fatos do mundo?

o rio do meio | 53

Não acredito muito nesses preconceituosos clichês, nem tenho competência ou disposição para fazer afirmações sobre o assunto: este é, afinal, um livro de indagações. Mas custa-me acreditar que os homens sempre tenham querido ter a seu lado frágeis ornamentos ou apáticas escravas.

Quais as complexas razões dessas vidas na sombra? Houve toda uma camada de existência organizada, administrada, transmitida pelas mulheres: hoje inicia-se essa escavação, essa arqueologia, reconstituindo o fio que nos foi cortado. Vamos então — talvez — saber melhor quem somos.

Tarefas complexas acumulam-se até diante de mulheres que não exercem uma profissão: dramáticas mudanças na organização cotidiana e nas relações familiares tornam mais premente a solução de problemas que antes não se imaginariam.

Nas últimas décadas quebraram-se padrões estabelecidos durante longo tempo. Ainda não se firmaram outros que já nos possam servir de referência; tudo é muito recente, estamos mergulhados no olho do furacão. Não temos certeza das oportunidades que nos são oferecidas em cada esquina. Estamos fazendo bom uso delas ou ainda nos assustam demais? E esse medo: é infundado ou é razoável?

O que sabemos é que é preciso "ser feliz". Banalizamos a felicidade como ausência de problemas, um estado de idiotia e irresponsabilidade, uma incessante animação obtida por recursos mágicos.

Ter felicidade (como se tem um bom carro e emprego garantido) tornou-se um pesado encargo. Usamos e malbaratamos palavras como "espaço", "direito", "curtir". Ninguém mais pode se deprimir, em cada esquina ou página de jornal e revista vendem-nos receitas para uma euforia permanente e artificial.

Estarmos um dia mais recolhidas parece suspeito. "Como ser feliz (ou rico ou bem-sucedido ou magro ou musculoso) em doze lições a preço módico" é o grande chamamento.

Sentir-se bem na própria pele, ter uma ideia razoável do que se está fazendo de si: estamos conseguindo isso? Talvez tenhamos esquecido no baú do tempo coisas a recuperar, mais preciosas do que a mais ousada inovação. Permanecemos na adolescência, não trocamos a busca da felicidade pela procura da verdade pessoal.

Essa mulher do século que finda, gerenciadora de sua vida e sua profissão, menos algemada a convenções arcaicas — pode ser mais íntegra e mais realizada, mas não está mais livre. Corre perigo de ficar tão aprisionada nas máquinas e organizações quanto às vezes se sentem os homens que as construíram.

•

Viver — a não ser sob escravidão, que ainda se pratica de muitas formas — é optar, assinar embaixo, e pagar todos os preços — alguns, bastante altos. Muita tarefa de que éramos isentas quando os homens pensavam e decidiam por nós hoje nos realiza e nos aflige ao mesmo tempo. Essa é uma das dificuldades de libertar-se do casulo familiar: temos emprego, conta bancária, novas responsabilidades; aprendemos o que é competição profissional. Precisamos mostrar serviço além da casa limpa, do filho educado, das reuniões na escola, da disponibilidade para as solicitações diárias e dos ardores do amor.

E o coração não se moderniza; a natureza nos impôs marcas duradouras, pregou-nos pelo menos uma deliciosa peça: ninguém pode parir por nós. Em muitos casos e momentos não há

o rio do meio

mães sucedâneas satisfatórias — embora certas mães legítimas sejam altamente insatisfatórias.

Mesmo numa creche bem aparelhada nossos filhos podem ter febre ou quebrar a perna, apesar das eventuais lanchonetes nossa comida não se prepara sozinha, nosso companheiro ainda gostaria de dialogar, e podemos querer amar sem pressa.

A maioria de nós aprende a harmonizar tudo isso. Algumas, com prematuros vincos nos cantos da boca, cerrando os dentes para não gritar que não aguentam mais. Dividiram-se em tantas que não sabem mais qual desses pedacinhos são elas, e poucas pessoas adivinharão quanto lhes custa manter essa aparência de serenidade.

●

Leio sobre mulheres e loucura. Por que são em maior número em consultórios ou clínicas de psiquiatras? Antigamente já se registravam muito mais mulheres nos chamados "hospícios". Seria por enlouquecerem mais do que os homens? Porque suas mudanças de humor (menopausa, menstruação, gravidez, solidão, por exemplo) eram consideradas sintomas de insanidade?

A conclusão da autora é: não havia tantos homens nos hospícios porque estavam em casa aos cuidados das mulheres da família.

Tenho visitado uma clínica geriátrica onde — como nos antigos hospícios — há mais mulheres do que homens. Parece que sobrevivem mais; homens separados ou viúvos em geral voltam a se casar — e com mulheres mais jovens. O preconceito ou a timidez impedem muitas mulheres na mesma situação de se casarem outra vez, principalmente com homens mais moços.

lya luft

"O que iam dizer meus filhos?" é o comentário frequente. A maternidade pode erguer ao nosso redor um cinturão asséptico que nos dá uma ilusão de conforto e segurança, mas traça o círculo do nosso pequeno inferno particular.

Uma sociedade narcisista cobra preços extraordinários a quem não conseguir escapar de seus chavões: é preciso ser boa profissional e também uma linda mulher; batalhadora sem ser agressiva; discreta, até impessoal, mas também elegante, companheira, porém intrometida jamais, brilhante e se possível também um pouco burra. "Não fique o dia todo lendo, quando crescer você não vai arrumar marido, os homens detestam mulheres inteligentes", ouvi dezenas de vezes quando criança.

Não raro essa malabarista vai chegando ao desespero e ao vazio diante do seu assombrado companheiro que não consegue entender o que, afinal, está acontecendo.

O mesmo tipo de cobrança vale para os homens: ser competente, ser potente, adquirir bens, prover para a família (quando a adolescência dos filhos se prolonga mais que nunca), ter sucesso, ser atlético...

Como se compartimentará quem além disso ainda se permite dedicar-se à sua arte ou ao seu desejo, ao seu sonho— seja ele qual for? Como entrelaçar imaginário e cotidiano? Salva-se quem consegue viver da melhor maneira a sua criatividade, e ainda a dividir com outros. Então esse grão se multiplica, emite uma luz que resiste e transborda. São recipientes de carvões em brasa e têm visões que tentam esconjurar com traços, gestos, música ou palavras — para poderem voltar, inteiras, às solicitações da vida prática, que igualmente as convoca, e à qual amam às vezes muito mais.

o rio do meio | 57

Sem uma resposta que realmente satisfaça, a pergunta de Freud continua ecoando. Afinal, o que quer uma mulher?, indagava ele aos 80 anos.

Essa mulher do fim de uma era é também — junto com seu homem — um novelo de dúvidas e uma floresta de possibilidades. Angustiada entre o desejo de sair e o de ficar, de liberdade e de abrigo, de afirmação pessoal e de proteção para suas crias, quer a segurança que imagina ter sido a das mulheres antigas, e todas as atraentes promessas atuais.

No aeroporto, com seu notebook na mão (e a lista do supermercado dentro da agenda), a "nova mulher" é a um tempo náufraga de si mesma e pioneira de uma desafiadora utopia. E assim vejo o homem com sua pasta pesada, lendo no ônibus ou avião seus documentos, esquecendo no bolso o bilhete de amor da mulher, ou comovendo-se ao encontrar entre a papelada, inesperado, a fotografia de um filho pequeno.

lya luft

4 | *Eu falo de homens e seus sonhos*

"As mães não nos dizem onde estamos,
e nos deixam sozinhos;
onde os medos acabam e Deus começa
— aí talvez a gente esteja."

Rainer Maria Rilke

Nunca parei para pensar se escreveria mais sobre homens ou mulheres. Contava histórias para mim mesma, antes de tudo: para mim mesma preparava armadilhas, levantava dúvidas, montava quebra-cabeças que tentava resolver logo adiante. Como o escritor é de algum modo um ator que se enfia na pele dos personagens e acaba "sendo" cada um deles — e o atraente universo masculino é mais remoto para mim —, acabei escrevendo mais sobre mulheres.

Porém todos os homens que inventei, paridos da minha fantasia, sólidos ou frágeis, grosseiros ou machucados, vitoriosos ou traídos, foram também meus filhos, filhos do meu coração, da minha contemplação de seus possíveis dramas e desejos.

Sempre os achei solitários, embora não me fossem apresentados como espécimes muito confiáveis. Desde criança ouço falar pouco bem deles. Por toda parte queixas e acusações, como se fossem uns bichos alheios a nós. Talvez não se possa mudar a

o rio do meio | 61

cabeça dos nossos companheiros, mas nós, com tantos novos conceitos, como estamos criando os nossos filhos homens?

Ainda temos tempo de educá-los ou tudo aos poucos vai sendo — excessivamente — delegado às creches, às escolas e aos terapeutas? O que escutam de nós a respeito de si mesmos, e de seus papéis? Ainda o antiquíssimo "homem não presta"... ou já lhes incutimos desde o berço que são gente, são apenas humanos, que podem ser sensíveis e sabem ser sutis, que são grandes companheiros?

"Para *isso*, eles nunca estão doentes", diziam na minha infância de um homem paralítico e pobre cuja mulher ano após ano aumentava seu bando de filhos. Cada gravidez anunciada provocava em nossa casa exclamações de piedade e horror.

"Os homens não entendem nada disso", ouvia também, quando se tratava de assuntos que exigiam delicadeza. Era como se não admitíssemos que sentem e sonham, são ternos ou sofrem de solidão; às vezes falamos como se fossem menos humanos do que nós.

A mim, provocam uma confessada solidariedade. Mesmo quando se encontram e riem alto, dando tapinhas uns nas costas dos outros, quando bebem juntos falando animados ou, concentrados, discutem negócios, entrevejo neles todo um mundo que me enche de respeito e me comove. Observo-os no parque com filhos pequenos, olhando-os entre embevecidos e incrédulos; ou calados num restaurante diante da companheira com quem parecem não ter mais nada a dizer.

Imagino o que sentem quando dirigem seus carros ou caminham apressados com uma pasta na mão, pensando na família que ficou e no trabalho que espera, na mulher talvez insatisfeita, no filho problemático; quando brincam com sua amante e lembram-se, num gesto dela, num jeito de rir, da que ficou em casa, ou que está nessa hora no emprego — e que confia nele.

Falo de homens triturados por deveres: ser firme e forte, ser um sucesso, não fraquejar; depois se aposentar e mesmo assim não parar, nunca parar porque existe uma caricatura de pijama e chinelos que os atiça para que não deixem de ser atuantes, seja lá em que atividade for.

Escrevo muito sobre a solidão dos homens — que é também a solidão de suas mulheres.

"Duas vezes mais brilhante do que o marido, tinha de ver através dos olhos dele — uma das tragédias da vida de casada", escreveu Virginia Woolf sobre uma de suas personagens. Mas essa tragédia é inevitável?

Separada há pouco tempo, levou os filhos para almoçar com amigos. Lá pelas tantas resolvia-se quem ficava com qual pedaço da galinha. Indagada, de repente ela parou, atônita: não sabia qual seu pedaço preferido. Contou-me isso anos depois, e eu ainda podia sentir o seu desconforto.

— Você pode imaginar que eu estava casada há muitos anos e não sabia que pedaço da galinha preferia? Servia aos filhos, ao marido, e comia o que ficava na travessa, tudo isso sem problemas, sem me sentir vítima, nada. Nunca tinha sequer me dado conta disso. Depois daquilo, acho que sempre relacionei felicidade no casamento com saber de que pedaço da galinha a gente gosta...

E acrescentou com um sorriso triste:

— E com certeza meu marido também nunca tinha percebido isso.

●

o rio do meio | **63**

Uma profissional muito competente, que durante seus anos de casada deixara a carreira para representar o papel de mãe como imaginava que devia ser, quando estava com o marido em qualquer lugar examinava disfarçadamente o rosto dele: se via que estava aprovando, aprovava também; se o via aborrecido, dizia-lhe depois que não gostara. Só com muito tempo de um casamento que considerava bom — pois não havia deslealdade nem agressões — deu-se conta do absurdo que vivia, e com esforço quase sobre-humano decidiu separar-se para não sufocar. Eu mesma, conhecendo-a já sozinha, jamais teria acreditado nessa história se não a tivesse ouvido de seus lábios.

Mulheres intimidadas ou ressentidas, homens treinados a não baixar as defesas, com as pontes levadiças emperradas, decretaram — sem saber — a impossibilidade do desejado e necessário encontro.

•

— Eles (os homens jovens, seus colegas) preferem contar vantagens; nós, quando nos reunimos, gostamos de confidenciar — comentou uma médica de trinta anos.

Também na amizade entre homens — mesmo quando dotada de grandeza e lealdade — há uma tendência para o impessoal. Uma zona intransponível — porque são discretos ou travados — faz com que em geral se limitem a assuntos de trabalho, política e esporte, alguma nova conquista, umas poucas vezes queixas da distante mulher que têm ao lado.

Não acham fácil falar de si: seus cansaços e humilhações, suas ansiedades, sua vontade de serem mais compreendidos, muito menos seus medos. Seu desejo de mais companheirismo

64 | *lya luft*

na família, ou que fosse mais divertida, ou que os perseguisse menos com tantas exigências, ou que a mulher voltasse a ser sensual como tinha sido no começo.

•

Um homem contou a seu amigo de infância que ia se casar mais uma vez e, quando disse quem era a escolhida, o outro saltou:

— O quê! Você está é doido! Faz anos que tem essa invejável liberdade de morar sozinho, e agora quer se casar, ainda por cima com essa mulher tipo família? Se quer se divertir, arranje uma dessas meninas capa-de-revista, que a gente usa e depois despacha!

— O que mais me doeu — disse-me o que fizera a confidência — nem foi que ele pensasse daquela maneira, pois eu conhecia os seus princípios: foi que, depois de uma amizade de tantas décadas, ainda soubesse tão pouco de mim.

•

A empresa de meu amigo falira, suas contas bancárias haviam sido encerradas, estava enterrado em dívidas. O que mais o afligia naquele momento, porém, era que sua mulher não sabia de nada.

— Tenho de avisá-la com urgência de que não pode mais usar o talão de cheques, mas não consigo. Como é que a coitadinha vai se sentir?

Quase não pude acreditar no que estava ouvindo. Quem era essa que vivia ao lado dele, que lhe parira os filhos, que lhe deveria ser a pessoa mais chegada, a cúmplice, amada e amiga? Quem, o que a pusera naquela posição cruelmente infantil?

•

o rio do meio | 65

Por tudo isso, não concordo em que todos os homens estejam "apavorados" com a transformação da mulher. Não os considero pusilânimes nem infantis. Alguns me parecem agradavelmente intrigados: o que está nascendo dessa crisálida que sempre viveu acomodada junto dele? Um novo animal, de grande porte, belo e audacioso e cheio de surpresas, com quem será emocionante e desafiador estar?

Há os menos iluminados, os obtusos: para estes, serve a criatura muda que lhes traz o chinelo ou a comida e vai lhes dando herdeiros e solidão; ou a eterna menina que pouco sabe deles, mas com seu cartão de crédito se diverte no shopping da vida.

•

De algumas diferenças não há como fugir, certas peculiaridades nossas também nos assombram: toda mulher alguma vez se emociona ao ver os filhos paridos dela, que carregam no sangue e na carne, pedaços do homem com quem os gerou.

Somos, nós mulheres, sem dúvida uns estranhos ventres, umas covas de onde saem os destinos do mundo. Por isso, quem sabe, mais inclinadas à contemplação: talvez ruminemos o que não entendemos de nós, que tanto nos espanta — e nos maravilha sempre.

Mas quem sabe é preciso olhar com mais atenção e afeto esses que vivem ao nosso lado: cumplicidade, parceria, são ainda o melhor modo de crescer e nos tornarmos, todos, mais humanos.

"Entre mim e mim há vastidões bastantes
para a navegação dos meus desejos
afligidos."

Cecília Meireles

A batalha corre em duas frentes: relações com os outros, convívio com nós mesmos. Para as mulheres, abrir o seu "espaço" exterior, mas também evocar forças que a civilização nos levou a exilar numa zona de silêncio onde ainda pulsam. É preciso uma boa escuta para ouvir, coragem para liberar, e bom senso para não inventar com esse potencial uma nova farsa, a da caricatura de homem que às vezes se julga ser uma "mulher moderna".

Quem, o que nos levou a essa carência, a essa necessidade de recuperação? Os homens foram os grandes algozes — definitiva e intencionalmente, por medo e perversão, ou apenas porque "não valem grande coisa"?

Prefiro pensar que há nas sociedades desvios dos quais não se pode acusar ninguém. Não acredito que os homens, às vezes mencionados como se formassem uma corporação unida por péssimas intenções, não anseiem por companheirismo com a mulher amada.

"Qual a diferença entre um homem e um menino? O preço dos brinquedos." Essa frase engraçada pode ter lá seu fundo de verdade; pronunciada com rancor, expressa um melancólico

o rio do meio | 67

isolamento. Conheci, sim, mulheres servis ao lado de homens estúpidos, mães insultadas por filhos, funcionárias humilhadas por patrões, filhas podadas por pais desumanos. Vi, por outro lado, homens que só podiam entrar em sua própria casa depois de tirar os sapatos, e mesmo assim eram perseguidos com recomendações do tipo: "Olha só o que você está sujando aqui! Cuidado, você é muito desastrado, respingou sua camisa outra vez!" Vi homens que, ao se inclinarem para beijar a mulher, fingiam não perceber uma repulsa mal disfarçada; que tinham todos os seus planos frustrados porque suas companheiras nunca estavam dispostas para sair, detestavam os amigos dele, achavam tolos seus divertimentos, não valorizavam seus esforços, nunca apreciavam seus presentes. Pior ainda, costumavam caçoar, com amigas, dos desejos ou do desempenho sexual do marido. Não é raro um homem ser ridicularizado num grupo de amigos por comentários de sua mulher:

— Vai beber mais um? Olha a barriga dele! Viram como está ficando careca?

Também por isso falo de homens e seus sonhos — ou do que imagino que sonhem.

•

Não precisar ter medo das palavras junto de alguém é um raro dom amoroso, mas o silêncio dividido pode ser o melhor encontro. Alguns homens hão de ansiar por um momento de quietude ao lado de suas mulheres, que elas pudessem conter a torrente de palavras com que talvez busquem encher o fosso que as isola.

Tomei um avião, e já na sala de espera do aeroporto duas mulheres falavam sem parar, sobre todas as coisas possíveis:

68 | *lya luft*

"Olha só, o carpete do saguão está gasto, será que aquele loirinho é um dos comissários, a aeromoça parece cansada, minha mala é azul de couro, meu marido está com diarreia há dois dias, minha amiga no exterior me espera no aeroporto, agora vou abrir a bolsa..."

Passaram falando a noite toda. No aeroporto de chegada ainda não tinham sossegado. Dias depois voltavam à minha lembrança: seus maridos teriam de escutá-las o tempo inteiro?

Ou falavam assim uma com a outra porque em casa ninguém mais prestava atenção? Ou ainda — por esses papéis que nos impuseram desde meninas — nem imaginavam que seus homens esperassem delas mais do que agitação superficial em lugar de verdadeiras palavras?

•

Os homens são cavaleiros de seu próprio reino, onde tomam decisões tantas vezes diversas das nossas, onde têm gestos e palavras que não teríamos, onde se entregam a tarefas e competições que não seriam a nossa prioridade. Às vezes precisam mais de nós do que nós deles: um homem sozinho corre em busca da primeira mulher que lhes possa dar cuidado e conforto, comida na hora certa, levar a roupa à lavanderia, presença para afastar o temido silêncio que provoca reflexão. Mulheres sozinhas facilmente transformam seu apartamento em um lugar agradável onde cultivam amigos e filhos, projetos ou boas lembranças.

Conheci homens esplêndidos que, encontrando uma companheira à sua altura, assustaram-se com ela e procuraram outra

o rio do meio | 69

com quem corriam menos perigo de se envolver profundamente — e passaram o resto da vida sonhando com alguém com quem pudessem se abrir.

●

Há de ser bem dura a solidão daqueles a quem o universo feminino atraía como um reino que deviam conquistar; quando o invadiam com desejo e fervor, era desabitado. Vejo por toda parte homens obrigados a assumir demasiadas tarefas, chegando em casa para encontrar alguém igualmente exausto, que acaba de vir, por sua vez, do seu trabalho, ou passou o dia solitário em atividades cansativas e repetitivas — e só aguarda que ele apareça para desfiar suas queixas sempre iguais — nem por isso menos torturantes para ambos.

Imagino se escutarão, esses malvistos homens, menos do que nós — no meio do cotidiano —, rumorejar a hora incerta. Como se sentirão diante dela?

"Se a morte for um sonho sem sonhos", dizia Sócrates, "será muito bom; se for reencontro com os amados mortos, será ainda melhor." É possível que, quando se erguer o dedo da Nunca-Esperada e os chamar, preocupados indagarão depressa:

— Será que cumpri tudo o que devia?

Nem se lembrarão de perguntar:

— Será que amei quanto me foi dado, será que tentei viver — e fazer viver — tão plenamente, tão bem quanto poderia?

●

lya luft

"Eu sempre te disse que era grande o oceano
para a nossa pequena barca."

Cecília Meireles

O amor não é aventura e risco necessariamente porque as pessoas são superficiais e não levam nada a sério, mas porque há também cartas marcadas.

Nem tudo depende da vontade dos que embarcam nessa viagem: na bagagem misturam-se amor e otimismo, traumas, carências e naturais limitações. O limite entre tolerância e covardia, abnegação e falta de autoestima, viver e abdicar, nem sempre se divisa facilmente.

Muitas relações são um lento caminho para o desencanto: amaram-se, mas viram a alegria escapar-lhes entre os dedos como água que não conseguiam armazenar.

— Não há amor que resista a mais de dez anos de convívio — comentava um amigo paternal a quem eu respeitava muito, só que dessa vez não concordei. Mas na maioria das relações em algum momento começa a baixar uma poeira que irrita e abafa, abre feridas e corta caminhos. Na impaciência dos nossos dias separações tornaram-se comuns, casamentos duram um ano ou três. Temos em geral pouco tempo interior para amadurecer decisões, para avaliar o risco de se perderem tesouros acumulados, projetos iniciados, valores comuns.

Por outro lado, em separações em que deixou de haver marido e mulher, mas continuam os pais daqueles filhos, pode

o rio do meio | 71

acontecer uma multiplicação de afetos. A família tradicional rompe-se ou se transforma: começa o que se poderia chamar a família humana, em que se exercem mais generosidade e tolerância e se aceitam melhor as diferenças e dificuldades do outro. Aqui escrevo sobre o doloroso fim do amor.

•

Tínhamos nos encontrado pouco naquele ano. Cada vez eu a via mais triste, um vazio maior no olhar, um modo mais vagaroso de virar a cabeça e fitar um ponto longe.

O casamento estava acabando, me disse então, e essa dor só entende quem a viveu. Há dois anos percebera que algo "ia mal". O marido costumava viajar, e ela que, antes disso, esperava seus retornos com ansiedade, de repente se descobrira pensando: "Que enjoado, ele já volta amanhã!"

Assim, sem motivo especial, sem traição ou agressões, tudo mudara para pior.

Contava-me isso mal tocando no prato, toda ela transbordava da dor de ter de dizer ao marido que queria ir embora, que precisava disso para sobreviver. Como fazer sofrer quem nunca nos causou mal — e, por outro lado, como manter uma ligação que já não é sincera?

— Vou me separar para não morrer, você acredita nisso? Eu acreditava.

— E agora, faz uns meses, estou me apaixonando por outra pessoa. Achei que ia passar, não passou. Não aguento mais, estou no meu limite. O que é que eu faço?

Eu não tinha respostas, só perguntas que ninguém poderia responder. Enquanto procurava o que dizer, ela prosseguiu:

72 | *lya luft*

— Mas eu *gosto* de meu marido, ele é a pessoa fundamental na minha vida, não o quero perder. Tantos projetos em comum, tantas vivências. Você já viu que coisa mais ridícula?

Estava quase chorando, ao mesmo tempo ria da própria incoerência. Tentei confortar:

— Neste momento vocês se perderam um do outro. Dê a ele, e a você mesma, mais algum tempo. Mas não tempo demais...

Contei-lhe então a história que alguém me havia relatado — há poucos anos, mas pareciam séculos:

— Um homem tinha um cachorro, desses de quem se corta a cauda logo ao nascer. Só que gostava tanto dele, sentia tanta pena, que, em vez de mandar cortar o rabo de uma vez, cada semana o levava ao veterinário para que este tirasse só uma rodelinha.

Ainda ríamos quando saímos para a rua, cada uma com a chave do seu carro na mão, cada uma com sua solidão, sua sina, suas glórias e desastres.

Fui para casa pensando no quanto pode ser difícil seguir o que parece o chamado da vida. A euforia da decisão tomada e a sensação de liberdade são inebriantes. Quando sobrevém a calmaria e aos poucos tudo se encaixa no cotidiano, vem a vontade de retornar ao colo de si mesma no aconchego do que era tão familiar.

— A vida não tem mesmo muito jeito... — disse-me alguém, e muitas vezes eu concordaria com isso nos anos que estavam por vir.

•

o rio do meio | 73

"Sempre que estou triste ele me manda comprar um vestido novo ou tomar café na vizinha; quando quero amor, ele me traz problemas do trabalho ou fala que a conta no banco está no vermelho."

"Quando quero lhe fazer um carinho, ela está cansada; quando quero contar casos do escritório, ela não presta atenção; quando a convido para sair, nunca está disposta ou reclama de tudo."

Casamentos acabam assim, um número impressionante de vezes. Conseguiu-se talvez conforto e segurança, mas agora os interesses flutuam em direções diferentes, há outros objetos de sedução.

Quando e por que motivo, se se amavam, o outro deixou de ter encanto — e tudo o que se quer é o diferente, o arrepio de uma outra primeira vez, o cheiro de uma nova pele, outro tipo de proximidade?

Quem errou, em que momento? Qual a primeira palavra inadequada, quando o primeiro bocejo de tédio, onde a primeira incompreensão grave — e por que foi impossível entender-se e recomeçar, partindo desse novo entendimento? De repente percebemos: estamos distantes, e desinteressados.

Mas algumas relações "dão certo" — por um tempo, ou por todo o tempo de uma vida. Qual será o seu recurso, se o têm? Somos realizados ou desgraçados como pobres frutos do acaso, ou podíamos ter sido senhores de nossos rumos? E se for assim, em que momento deixamos as rédeas escorregarem das nossas mãos — ou nos foram arrancadas?

Casais às vezes se completam sem que um tenha de ser podado nem fazer tamanhas concessões que no fim nada lhe sobre de seu. A vida em comum não empanou o afeto com que

74 | *lya luft*

falam um do outro, nem a sensação boa que transmitem quando estão próximos. Apesar de inevitáveis aborrecimentos, lutas e azares, alguma coisa funcionou bem. Por que "deram certo", se tantos fracassam? Se indagássemos, nenhum deles daria a receita. Alguns pareceriam surpresos:

— Temos tanta sorte assim?

Foi mais do que sorte: sua intuição lhes ditou a escolha de um parceiro que seria estímulo e abrigo. Eles próprios não sabem a razão desse sucesso. Mas podemos identificá-los, quando os vemos juntos, por uma delicadeza, um olhar interessado, a cabeça inclinada sobre a mesa do restaurante, um comentário divertido; pelo riso compartilhado, até por um mesmo ritmo no andar.

Uma identidade quase química faz com que — cada vez menos, porque já não temos paciência — duas pessoas vivam juntas vinte anos e não se aborreçam, ainda que a paixão tenha arrefecido. Os elos de suas personalidades configuram um desenho firme — apesar do avesso, com seus nós — e não precisam tocar-se para um saber do outro: ele está aqui, do meu lado, comigo.

Masculino e feminino, tão diferentes, somaram-se, não se descaracterizando. Surgiu uma espécie de entidade livre do compulsivo desejo de posse que caracteriza relacionamentos massacrantes. Não me ame tanto, parece dizer, sem palavras, quem é cercado e cerceado por esse tipo de obcecado amor.

"Amar alguém é deixá-lo livre", escreveram-me num bilhete. Deve ser esse o mais difícil e obscuro dos segredos de conviver bem.

*

o rio do meio | 75

Com as diferenças de educação e temperamento, e toda uma cosmovisão peculiar de homens e mulheres, haverá uma arte separada, masculina e feminina? Pois ambos pensam, comem, vestem-se e até falam de maneiras particulares. Se existe uma linguagem de mulheres, uma visão de mundo feminina — teremos uma literatura feminina particular?

Uma escritora reagiu em um seminário:

— O problema não é responder a essa pergunta, mas indagar por que ela se repete há décadas, sem que nenhuma das nossas respostas satisfaça.

Esse questionamento, tão comum na literatura, é mais raro no campo das artes plásticas e da música. Não temos habitualmente seminários para discutir a "escultura feminina". Porque língua é liberdade, uma linguagem de mulheres — seja lá pelo que for que ela se diferencia — marca a transgressão do limite entre sua zona de recolhimento e o grande mundo dos homens que fizeram quase sozinhos toda a poesia e a ficção até poucas décadas passadas.

Há quem julgue demasiado masculina a linguagem com que foi construída a nossa literatura. Sentem-na pomposa demais, pouco flexível, inadequada ao seu pensamento. Talvez a adaptem ao seu jeito e gosto, às sutilezas de sua expressão. Todo artista precisa descobrir em seu instrumento o servo incansável de sua criatividade, com o qual explorar todos os caminhos de uma livre manifestação.

A maior parte das mulheres marcantes na ficção foi inventada e escrita por homens; agora nós tentamos descobrir e expor o nosso perfil. Aos poucos, o mundo transfigurado e transportado pela arte talvez comece a revelar-se mais completo.

76 | *lya luft*

"É preciso que exista enfim uma hora clara."
Cecília Meireles

Não sei se os homens têm, como as mulheres, o tempo interior para esse pensamento que parece um fruto numa árvore, que podemos nunca apanhar, mas está ali — chamamento de enigmas que não se entregam: sua importância reside no desafio de nos fazer pensar.

Talvez também contemplem isso — e interroguem o seu particular destino, e queiram aplacar seus medos e curiosidades, seu desejo de complementação e de significado. Quem os amar será capaz de amar a sua singularidade e namorar — além dos corpos e afetos — os pensamentos e os sonhos. Terá então com relação a eles mais do que ironia e queixas: contará, entre os melhores momentos de sua vida, alguns partilhados com um homem amado.

●

Era tido como ríspido, quase violento; temido por família e funcionários, gostava de discutir, logo se irritava: um lobo solitário. Mas havia uma mulher ao lado de quem se deitava para arder, e também para chorar; com quem ria feito menino; a quem dizia todas as ternuras que não se permitia expressar com mais ninguém.

Ela descobrira, sem saber como — apenas porque era sua destinação — a ponta do fio do coração desse homem, e deixava que se desenrolasse.

O pai e as três crianças colocam iscas no anzol, na beira da praia. Batidos de vento, queimados de sol, parecem nada querer nem precisar senão aquilo: rumor de mar, camisas molhadas, pés plantados nas rochas. Fazem comentários, gesticulam, estouram numa risada.

O pai mostra alguma coisa; os três pequenos, inclinados para ele, que se agachou à sua frente, bebem suas explicações, cheios de um respeito alegre por aquele pai tão sábio.

Ela, de lado, contemplava, fingindo olhar as ondas. Deixou-os no mundo deles, e nunca amou tanto aquele belo homem como no seu exercício de paternidade.

Era ao pai que preferiam para lhes contar histórias antes de dormirem. Os dois meninos e sua irmã, cada um em sua cama ou numa delas, esperavam o pai sentar-se na beira, ajeitar-lhes a coberta e começar a contar. Eram histórias inventadas na hora, mas sempre com alguns detalhes repetidos, que exigiam. Ele fingia esquecer, só pela delícia de vê-los pedir:

— Aquela, pai, da mão que cai do teto...

A mãe se fazia de zangada, reclamava: ia assustar as crianças, mais pareciam histórias de horror! Eles gritavam juntos que não, não, não tinham medo nenhum.

O pai explicava, rindo, que assim, com fatos assustadores misturados em brincadeiras, iam entender desde cedo que toda essa história de fantasmas era bobagem.

Ninguém acreditava muito, mas a mãe saiu deixando-os naquele momento de excitação em que era difícil dizer qual dos quatro se divertia mais.

O bebê estava irritado, ninguém mais sabia o que fazer. Então o avô, que fora um pai muito paciente, agiu como fazia com os seus filhos há mais de vinte anos. Pegou-o no braço e ele se acalmou como se daquela grande presença emanasse o que as mulheres em torno, com seu desvelo aflito, não lhe haviam conseguido passar.

Levou o menininho para o jardim e falava baixo, apontando folhas, flores e insetos, como se revelasse segredos que o pequeno entendia.

Não era verdade que o homem só educa os filhos para o mundo, e a mulher os cria para serem gente.

Um rapaz prepara a mamadeira de seu bebê e o alimenta, segurando-o nos braços com uma solicitude que nem a melhor das mães teria diferente. Levanta de madrugada porque o seu filho pequeno está chorando; dá banho nesse menino, enxuga-o com a toalha felpuda e os dois riem como duas crianças.

Um homem de grandes mãos queimadas do sol ajuda seu filho a dar os primeiros passos; senta-o no carro e sai com ele para os arrozais; ou — quando pensa que ninguém o vê — observa esse filho brincar entretido com uns pauzinhos, e os olhos azuis muito claros do pai brilham de uma emoção insuspeitada num homem de tanto senso prático e tamanha solidez.

•

Nunca acreditei que "homens não têm jeito com criança pequena". Se alguns receiam pegar bebês muito frágeis, talvez seja porque a mãe fica dizendo: "Cuidado, você não tem o menor jeito, vai deixá-lo cair!" Ou: "A sua barba está espinhando a carinha dele!" em lugar de abrir a porta da vida dessa criança, da qual é guardiã, para o pai entrar.

o rio do meio

Postada diante da escrivaninha de tampa de vidro verde-escuro, perguntei:

— Pai, quem era Sócrates?

E — ainda hoje isso me enche de admiração por ele — não senti nenhum receio de que me achasse ridícula, ou dissesse: "Ora, vá brincar no seu canto, isso não é coisa de criança!"

Lembro seu olhar claro, o rosto sério, a paciência com que me fez sentar numa das grandes poltronas, explicando o que eu queria saber, e me entregou um volume de enciclopédia. Fiquei lendo naquele silêncio bom que tantas vezes se abria ao seu redor quando ele trabalhava ou refletia. Quando devolvi o pesado livro, tirou de suas prateleiras outro muito menor e disse:

— Esse se chama *O banquete*. É de Platão, um filósofo grego que foi aluno de Sócrates. Você não vai entender muito bem, mas tenho certeza de que vai gostar.

Lembro com gratidão que em nenhum momento ele pareceu achar graça de mim. Para aquele homem eu não era só uma criança: era uma pessoa.

●

Ainda que mulheres sejam mais presentes, também em meus romances os homens emergem cada vez mais. Há um personagem masculino que abordei com especial reverência. Aquele que chamei *pater dolorosus*, cumprindo uma paternidade pouco conhecida: segurando nos braços seu filho adolescente pouco mais que um vegetal, alimentava-o pacientemente com uma colher, limpando-lhe do queixo o mingau que escorria, enquanto os pobres olhos desarticulados o contemplavam em muda — e terrível — devoção.

80 | *lya luft*

Não sei se voltarei a sentir a pungência que me varava cada vez que eu via com meu olhar interior, e descrevia, esse homem de uma tal grandeza. Não digam que em meus livros os homens são uns fracos.

Premida por desejos e necessidades, pondo-se em busca de trabalho e realização além daquela doméstica que aparentemente lhe cabia por destinação, a mulher percebeu que era mão de obra desqualificada. Saiu a campo para preparar-se, quando sua situação se cristalizara há um bom tempo. Nem passaria pela cabeça do até então amo e senhor que a mãe de seus filhos pensasse em pegar um emprego, e também a ela isso provavelmente não ocorreria com frequência.

Mulher não trabalhava fora a não ser que fosse muito pobre ou tivesse um marido incompetente para a sustentar. "Mulher minha não trabalha" era dito com a satisfação de quem cumpre seu dever. Hoje, em grupos de jovens mulheres, olha-se com certa piedade a que "só" fica em casa.

Isso pode levar a uma inversão exagerada. Ficar "só" em casa será mesmo tão pouco assim? Ser "apenas" mãe desses filhos, administradora dessas contas e projetos, pode não satisfazer plenamente quem sente em si potencial para muito mais que isso. Mas será uma função inferior?

Deixar de realizar-se numa profissão por medo, para manter a paz doméstica, por exemplo, há de ser a lenta morte de muitas capacidades pessoais. Isso não é anacrônico nem se reduz a páginas de romances antigos. Uma de minhas alunas, casada com um político importante, me confessou:

— Você não imagina quanto tive de implorar, até fazer chantagem, para que meu marido me deixasse voltar a estudar.

o rio do meio

E, como as soluções não são simples, se dizemos que dependência econômica traz dependência moral, que ganhar mesada significa ter de pedir até para ir à esquina — estaremos tão corretos assim? A questão é intrincada: liberdade não se reduz a autonomia financeira, e pode, eventualmente, existir sem relação com ela, fundada num desses contratos nunca escritos, talvez nem pronunciados, mas naturais no amor. Respeito mútuo é uma postura pessoal que nasce bem antes do encontro dos dois: vem desde a geração, vem da família original, vem dos modelos da casa paterna, tem sementes imponderáveis na constituição psíquica de cada um. Os mais carentes e inseguros tendem a ser os mais possessivos, cercando o outro de todos os lados para que não se afaste demais no caminho da sua liberdade: assim começa o declínio de sua relação.

●

Muito marido considerado tirano não consegue disfarçar o susto quando a pacata dona de casa a seu lado vira a mesa:

— Mas como! Você era tão quietinha, contente porque não lhe deixo faltar nada, e agora vem reclamar? Será a menopausa, ou alguma amiga liberada soprando coisas em seu ouvido?

Ou alguém se lamenta:

— Sinto que fui desperdiçada! Para mim, meu marido era toda a minha vida; eu era apenas uma parte da dele.

Muitos desses casamentos não têm mais remédio: milhares de mulheres sabem que nada vai mudar, e acomodaram-se. Desistem de si porque precisariam derrubar seus mitos internos machucando pessoas que amam se quisessem modificar as regras de convívio ou concretizar algum desejo pessoal fora da rotina cotidiana — então abdicam. As mais insatisfeitas ou as mais otimistas abrem a socos a porta da sua casa simbólica, e saem para o campo de batalha.

Todas tiveram ou continuarão tendo a seu lado um homem cuja solidão se funda na parede de silêncio que o separa da sua mulher.

"Afinal", hão de estar indagando, talvez de mãos na cintura, "você é *a favor* ou contra o feminismo?"

Por mais alienado que possa parecer a certos movimentos, o artista é sempre um combatente. Fala, escreve, canta, dança, pinta os sonhos de muitos, quando parece retratar apenas os seus próprios. Não é preciso desfraldar uma bandeira específica para mostrar nossas posições: elas transparecem até nas roupas que uso, na casa onde moro, na maneira como conduzo minha circunstância pessoal. Se escrevo sobre a vida com seus encontros e desencontros, também falo de homens e mulheres. Minhas interrogações provavelmente não têm resposta adequada, como a maior parte das coisas desta vida nossa — por isso mesmo material inesgotável para a arte.

Vivemos mergulhados no mistério, mas também condicionados pela sociedade — essa abstração assustadora por ser imponderável e impessoal, sempre mutável, nem sempre previsível. Reivindicar é essencial. Mas a postura individual, sobretudo das mulheres, nem vítimas ressentidas nem agressoras amarguradas, vai gerar a verdadeira mudança. Só pessoas decididas a viver a vida em plenitude e amar com alegria — começando por si mesmas — podem influir para que os papéis e os valores em jogo na relação do par se transformem.

Falo de homens e de mulheres — de muitas coisas mal explicadas, e de muitas inquietações.

o rio do meio | 83

5 | *Eu falo da vida e suas mortes*

*"Estendo os braços para o dia
e o mundo nasce devagar."*

Celso P. Luft

A vida é uma tapeçaria que elaboramos, enquanto somos urdidos dentro dela. Aqui e ali podemos escolher alguns fios, um tom, a espessura certa, ou até colaborar no desenho.

Linhas de bordado podem ser cordas que amarram ou rédeas que se deixam manejar: nem sempre compreendemos a hora certa ou o jeito de as segurarmos. Nem todos somos bons condutores; ou não nos explicaram direito qual o desenho a seguir, nem qual a dose de liberdade que podíamos — com todos os riscos — assumir.

Em quartos, corredores e salas, secreto e trivial escorrem misturados entre pais e filhos, morte e nascimento, rancores e amor. Casas são importantes para mim — meus livros falam disso.

É nelas que o fio passa de mão em mão, brotando das mulheres que mal se dão conta do indizível em seus ventres. Nas

o rio do meio

casas lançam raiz futuras lembranças que, somando-se ao que já trazemos ao nascer, vão nos deixar mais fortes ou mais vulneráveis.

A vida tem muitos aposentos, e "no quarto dos fundos senta-se a alma solitária à espera de passos que não chegam nunca" (E. Wharton).

Mas eu sei que muitas vezes chegam os passos esperados — e há encontros que nem tínhamos sonhado.

●

Está apaixonada, tem quinze anos, e — incrédula — descobre que é correspondida. Isso que parece hoje tão simplório olhado de fora dava-lhe um senso de plenitude e poder que nunca mais conheceria. Não precisava de nada mais. Nem Deus pode tirar isso de mim, pensava.

Um inocente beijo diante da porta da casa, e o vestíbulo transforma-se no céu. Por muito tempo ficará transfigurada por essa intimidade. Por mais experiências que venha a ter como mulher, o momento não se repetirá, e dificilmente se apaga. Nunca mais haverá uma primeira vez, nunca mais a mesma candura de acreditar que tudo aquilo era eterno.

●

Traz dentro de si uma nova pessoa: sabe que não é mais a mesma, nada é como antes. Tonta dessa nova sensação, quer ser forte como um exército para defender a criaturinha, plena de amores para a cercar, mas vai descobrir que esse novo destino

88 | *lya luft*

não lhe pertence. A cada gravidez esse impacto será como o primeiro, sempre novo. A maternidade, contraditória como tudo o mais, é a um só tempo plenitude e privação, orgulho e insegurança.

Junto com o filho gestamos dúvidas: dar a vida será dar a essa criança sua individualidade, suas derrotas e conquistas. E muito pouco disso poderemos vigiar. Cada filho rasga em nosso flanco uma ferida por onde entram dores e alegrias, e não seremos mais donas de nós. Mesmo quando esse bebê já for uma mulher serena ou um sólido homem com sua própria família e sua profissão, continuaremos — ainda que disfarçando — atentas, aprendendo que amar é tantas vezes um mergulho cego.

O susto quando a jovem mulher estende a mão e é o meu gesto, sou eu num fragmento de espelho congelado no tempo. Um menino volta o rosto para mim e é o jeito do avô; outro salta na piscina e os pequenos ombros, as pernas fortes, são exatamente os de seu pai na sua idade muitos anos atrás.

O que parece tão simples evoca a rede estendida sob as coisas familiares, que perfaz o aconchego de uma casa. Risos no quintal e vozes na sombra — que as mulheres ouvem com mais facilidade, e pouco têm a ver com o alegre tumulto ou as apaziguadoras convenções da superfície.

Mas nem tudo é contemplação: a toda hora novidades boas, novidades ruins, sobressaltos ou conforto acompanham conceitos e vivências que há poucos anos ninguém teria sonhado.

Uma velha senhora numa cidadezinha do interior há uns quarenta anos, ao ver o namorado da neta que voltava de

o rio do meio | 89

férias da capital usando calça jeans com camiseta e meias amarelas, sentenciou:

— Eu bem que avisei: o mundo está acabando.

Mais sensato foi o comentário de um tropeiro idoso no interior quando contaram, em volta do fogo, que o homem um dia chegara à Lua; vários protestaram que era impossível, era coisa de gringos, tudo truque de televisão. Baforando seu cigarro de palha o velho contemplou a chama, refletiu um pouco e disse:

— Eu, depois que inventaram a máquina de debulhar milho, não me admiro de mais nada.

Nós, hoje, pouco nos admiramos. Estamos habituados a não compreender boa parte das inovações que entram pela nossa casa o dia inteiro e nem nos incomodamos mais. A maior parte do tempo, giramos inconscientes nessa vertigem.

Mas tentar acompanhar esse ritmo deveria ser também desmistificar o espectro da idade, dos acidentes físicos. Menopausa, netos, rugas, cintura menos fina assombram algumas mulheres de forma dramática.

É um desperdício atormentar-se com o que nem o melhor cirurgião pode atrasar em definitivo, ir muito além de discretas correções para melhorar a autoestima, construindo — da sua própria destruição — uma máscara ou caricatura do rosto natural. "De repente ela parecia uma criança destroçada", comentou-se de uma mulher muito bonita que até o fim da longa vida não deixou de tentar remendar aqui e ali as descosturas do tempo.

"Não estou preparada para ser avó" pode ocultar, no tom divertido, o pânico de estar perdendo a juventude — que tão inevitavelmente se perde, mas poderia ser trocada por novos encantos e novas surpresas. Hoje as avós podem ter sua profissão, voltar a estudar e ser bem mais divertidas do que as de outrora, que se zangavam quando o menino não as cumprimentara direito ("dê a mão bonitinho para a vovó..."). Embora não faça mal existir ainda, aqui e ali, ao menos por uma hora, aquela avó de contos de fada, com uma surpresa saindo do forno e uma canção intemporal para alguém dormir.

E não é tão grave que a gente não seja mais a avó de outros tempos, em que os costumes eram diferentes: os netos também mudaram.

·

Vieram consertar um problema no meu computador, e eu segurava um bebê que não parava de chorar. Tentei acalmá-lo e ao mesmo tempo acompanhar o que o rapaz do computador explicava. Este por fim começou a rir:

— As avós andam muito diferentes hoje em dia...

Ainda conto histórias às crianças desta casa, embora às vezes elas prefiram brincar no computador. Pois então, terão as duas coisas, se possível devem-se abrir para elas todos os caminhos possíveis e bons.

Houve um tempo em que me inquietava: devo insistir para que elas conheçam alguns daqueles deslumbramentos da minha infância? E afinal essa ponte sempre se fez com naturalidade, as boas histórias são intemporais, esse contato é delicioso, a alma humana segue mais ou menos o mesmo caminho de descobrimentos e assombros.

o rio do meio | 91

Mas sei que no futuro delas abrem-se desafios que jamais tive, alguns dos quais nem compreenderei. Coisas que jamais verei. Isso não me entristece, mas me alegra por elas. Essa é a vida que podemos ter. O importante é que, ainda que eu trabalhe, viaje, não tenha sempre paciência e tempo, e não seja em tudo uma avó convencional, as crianças brotadas dessa raiz anterior a mim saibam que são uma esperada alegria, um maravilhoso exercício de ternura.

•

Na família faz-se o primeiro aprendizado de humanidade, complicado por amores não escolhidos, pela multiplicação dos laços, numa convivência que pode ser abrigo ou prisão.

Um grupo saudável será o lugar onde, mesmo que tudo o mais der errado, ainda quando não nos entenderem, seremos amados. Se for uma família doente, sem independência econômica nem segurança emocional, os filhos, talvez mãe e até pai, se sujeitarão a uma escola de rancor. Nada disso é simples, nem há fórmulas para evitar sofrimento. A tragédia começa no fato de que as intenções que movem os gestos nem sempre são entendidas por quem os recebe.

Há pessoas que parecem ter nascido mal-equipadas para viver. O mais terno desvelo as incomoda, qualquer afeto desperta suspeitas, talvez se agarrem a fetiches para enfrentar terrores incompreensíveis para os demais. Nasceram sem a proteção da pele: o doce ar da manhã lhes abrirá feridas. São constantemente sugadas para baixo, para alguma escuridão escancarada, por forças que não se deixam definir nem, por

92 | *lya luft*

isso mesmo, combater com eficiência. Não sabemos ao certo quem é o inimigo, não vemos seu rosto.

Quem estiver ligado a uma pessoa assim conhecerá uma das mais dolorosas e difíceis experiências: a impotência para evitar que alguém amado se aniquile.

o rio do meio

"Digo-te que podes ficar de olhos
fechados sobre o meu peito."

Cecília Meireles

Numa grande mesa cheia os moços falam todos ao mesmo tempo, entendendo-se de alguma forma nessa confusão familiar. Na falsa posição honorária de uma ponta da mesa, ou a um canto dela, um velho come de cabeça baixa. Porque está surdo? Porque está desatualizado, incapaz de acompanhar? Ou porque ninguém se lembra de virar-se para ele e perguntar algo além de um apressado "Quer arroz, vovô?" "Mais carne, vovó?" "Mãe, quer dessa saladinha?"

Um adolescente agressivo age com modos grosseiros, reprimindo uma dor para a qual não vê solução. Seu comportamento, que perturba e preocupa, pode ser um pedido de socorro que não chega ao destino. Sem conseguir entender isso os adultos se irritam: "A gente faz tudo por esse menino, e ele nunca parece contente!"

Alguém da família não se enquadra na moldura dos nossos preconceitos, e mudam o tom de voz quando falam dele: "Será...?" decretando que está lançado às trevas exteriores. Não se animam a deixar que abra o coração, assustam-se com a ameaça que ele encarna, temem que desperte ambiguidades abafadas em seus próprios quartos. Uma solidão a mais foi instituída neste mundo.

o rio do meio | 95

Uma distração qualquer, e a mão que se estende chega tarde, o pulso já fora cortado; por um fio, por um minuto, o avião havia partido, o telefone estava fora do gancho. Foi egoísmo nosso, futilidade, aridez?

Descartamos o que não faz parte do nosso mundo, que queremos instigante e prazeroso. Porque somos perversos? Talvez apenas porque somos assim, nada mais?

O momento de lucidez dói como facas, e ficamos cheios de boas intenções. Mas aí o telefone toca, o carro enguiça, a empregada não vem, o amor chama, a morte assusta, e tudo se dilui no torvelinho que nos arrasta nem sabemos para onde.

Num tempo em que existem poucas casas (menos ainda casas velhas) não há espaço para sótãos nem porões — e pouca coisa se guarda. Nas casas de meu imaginário, que importam mais do que as de pedra, há esses locais habitados por todas as possibilidades: o porão é o avesso do sótão, permanência de uma ardente vida que apenas finge dormir.

O que se agita no andar térreo onde o sol aquece os cantos, o cheiro de comida invade a sala mesclado às vozes das mulheres que trabalham e o silêncio das que leem, os passos dos homens entrando e saindo, chamados, protestos — que universo é esse, que fermentação? O que vibra, fala, chama, sonha, apaga-se e morre nesta parte de uma casa? É apenas o cotidiano que habita ali?

Mães voltam de hospitais depois de terem parido, os rostos ainda um pouco inchados da maternidade têm uma luz que nunca mais se apagará — a não ser que o filho morra. Sustentam essa criança em braços infatigáveis, e por mais exaustas que estejam cantam-lhes melodias que suas mães e as mães de suas mães haviam igualmente murmurado.

96 | *lya luft*

Homens trancados nos quartos remoem traição e abandono. Sofreram grosserias, têm medo porque o dinheiro é pouco, perderam o emprego e não sabem como dizer isso à família. Homens retornam de viagens e no abraço da amada redescobrem ternuras, renovam-se para outros trabalhos, talvez novas frustrações.

Mulheres velam ao lado de doentes cuidando de cada respiração sua, procurando no rosto a luz do antigo riso, querendo daquela mão o gesto de bondade, compreensão nos olhos apagados. Assistem a essa inestancável devastação com a dor de quem prepara a mala de um filho que vai viajar para muito longe.

Alguém foi informado de que tem uma doença incurável, e chora de medo no escuro à noite, baixinho para que ninguém possa escutar, e se interroga: "E agora, *e agora?*"

Alguém espera que a pessoa amada se dê conta de que o tempo não é todo o tempo, e venha para ela — e treme de medo de pensar que talvez a outra demore demais, e tudo acabe desperdiçado.

Pessoas entregam-se e se encontram no amor, e, metidas nessa redoma, parece-lhes que nem Deus as pode atingir mais.

Crianças correm num pátio, inventam histórias numa gruta entre folhagens, ou manejam um brinquedo eletrônico no quarto de seu apartamento; crianças tremem de medo ouvindo os pais que brigam, e querem corrigir o mundo. Crianças têm medo do escuro, do castigo na escola, do colega brutal, do professor irônico. Crianças amam o cheiro da mãe e a mão do pai, que — acreditam ainda — as protegerão de todos os males do mundo.

Velhos cochilam já ouvindo chegar Aquela-Que-Tarda; sonham com o passado cada vez mais próximo, enquanto o

o rio do meio | 97

presente é barulhento e confuso; alguns sofrem a fragilidade do corpo, outros ainda caminham com disposição ao sol; uns olham sem ver, outros leem jornal.

Avós queixam-se do ruído das crianças, ou divertem-se vendo-as correr e brincar; lamentam rugas e manchas ou ainda preparam pratos que a família aprecia. Cada uma conforme o seu coração — ou como a própria mãe há tanto tempo a ensinou a ser.

Toda essa realidade — que inclui nascimento e velhice, crianças doces e caras murchas, corpos sensuais ou mentes confusas — escorre como um estuário no leito de uma casa.

●

Nunca se apagarão memórias que brilham depois de muitos anos, vaga-lumes imortais num vidro vazio sobre o criado-mudo.

A família diante da lareira, num tempo ainda sem televisão. A mãe borda, o irmão brinca, a menina e o pai leem, cada um mergulhado em seu mundo que não exclui os outros três. A maior parte do tempo ela olha o fogo, sem pensar, quase sem respirar: é o seu abrigo, a redoma das presenças amadas anulando o gelo da noite lá fora. O essencial concentra-se ali, basta estender a mão e o alcança sem problemas. Apesar dessa noção do transitório que a assombra, sabe também que, de alguma forma, tudo aquilo permanecerá para sempre.

Chove na primeira claridade após mais uma longa insônia; o cheiro de terra molhada invade o quarto, e — todos ao mesmo tempo — os pássaros da Terra começam a cantar. A criança aguarda. Quando os passos do pai se anunciam no corredor,

lya luft

sabe que enfim vai poder dormir: seu mundo está em ordem. Para ela, só agora começou a amanhecer.

Andam na praia quase deserta esperando que nasça a lua cheia. Há dias planejam essa hora, torcendo para que não haja nuvens.

As crianças correm, pegam conchas na claridade vaga, um se afasta um pouco mais e os irmãos o chamam para que não se perca. Todo mundo se ama tanto nessa hora que prenuncia a mágica aparição. Há navios, pontos iluminados aqui e ali, barcos pesqueiros.

De repente a mãe aponta:

— Olha só ali, que navio enorme!

Todos olham, atentos, e aos poucos o navio se arredonda. A lua emerge derramando claridade e um silêncio vasto. Os cinco se dão as mãos, mas ninguém diz nada para que nenhum som quebre o momento perfeito.

•

O menino ergue para o rapaz o rosto inocente, e pergunta:

— Papai, quando a gente dorme a alma também fecha os olhos?

Para ver isso vale a pena viver todos os ganhos e todas as perdas.

•

O homem amado não a escolheria. Mas na despedida diz, e — estranhamente — ela sabe que é verdade:

— Não importa o que venha a acontecer, no meu coração estarei sempre do teu lado.

Esse instante, à beira do afastamento, a iluminará por todos os anos e anos de uma solidão.

— Há tempo para tudo — disse-lhe alguém. Mas a hora não chegou, pareceu ter-lhes escapado entre os dedos; não viveriam aquilo que a claridade de algumas horas tinha prenunciado.

— Que pena, que pena — repetia ela de si para si. Mas sabia que nunca se arquivariam um ao outro, que o tempo dos deuses voltaria a bater à sua porta. Para isso se preservava.

— O que mudou depois que você entrou na casa dos cinquenta?

A jovem lançou-me a pergunta como se jogasse no meu colo um inseto nada apetitoso. Pensei — e enquanto enumerava fui eu mesma descobrindo: mudou o corpo; por dentro ainda sou a menina que se assusta ou diverte com qualquer bobagem que outros nem percebem, entretidos que estão com assuntos mais importantes. Cheia de um otimismo incansável, oscilo entre devaneio e vida prática, ainda sem saber direito a qual pertenço. Mas hoje, à diferença de então, sei que essa indefinição é só aparente, e é o que me torna sólida. Muita coisa esconjurei em meus romances, aprendi que o bom humor pode ser mais importante do que o amor.

Tem vantagens, esse "tempo da madureza" de que fala o poeta. Que delícia, que liberdade, não ter mais que decidir caminhos profissionais e afirmar-me neles; parir e criar filhos, comprar casa, apertar orçamentos; imaginar a vastidão do mundo desconhecido — e haveria lugar para mim dentro dele? Muita coisa, que em seu tempo foi dramática, hoje é lembrança que me faz sorrir compadecida com aquela que se enrolava em tantas trapalhadas.

Se alguém me amar agora, não será por um belo corpo que vai decair, pelos cabelos lustrosos que terei de pintar — mas há

100 | *lya luft*

de me querer como sou, sem disfarces. Nenhuma esplendorosa jovem de vinte anos me ameaça: meu território é outro.

Tive perdas, e se multiplicam com o passar do tempo. Tive ganhos, num saldo que não me faz sentir injustiçada. Especialmente, não perdi o desejo de sonambular sobre os telhados ou balançar na ponta do galho de algum êxtase secreto, nem este obstinado, quase anacrônico amor à vida e à simplicidade — ou não teria sossego nem disciplina para registrar minhas invenções.

Há um momento qualquer, quando fico uma hora olhando uma árvore, aparentemente sem nada fazer — em que as coisas *se fazem* em mim, e tudo o que me tira do sonho me perturbaria. Essa também sou eu. Mesmo quando atenta e presente junto dos que amo, alguns dias parte de mim perambula nessa estrada lateral, um pé em cada uma, sabendo que não vou me partir ao meio. Então talvez troquem sorrisos de afetuoso entendimento:

— Hoje ela está meio distraída.

E seguem seus caminhos, cheios de energia, pois não duvidam de que, seja como for, estou aqui.

o rio do meio

"Foram-se os belos, os ternos, os bravos.
Foram docemente, em silêncio, alimentar as rosas.
Elegante curva-se o botão, e é perfumado, eu sei.
Mas não aprovo, e não me conformo:
A luz dos teus olhos era mais preciosa
do que todas as rosas deste mundo."

Edna St. Vincent Millay

A morte perambula nesses aposentos adormecidos que vão crescendo dentro de nós quando amadurecemos. Se a vida é um rio poderoso, a morte é o olho de um escuro espelho onde tudo se reflete, transfigurado. Nele dorme a nossa transcendência.

Se escrevo sobre a morte, é por saber que é preciso dar-lhe um tempo de escuta. Todos a podemos ouvir, desde que o ruído ao redor seja desligado por alguns momentos. Não para um encontro de pavor, mas porque temos o direito de a interpelar, a essa que vela seu rosto, mas está ali: "Quem é você, afinal? O que vai fazer comigo, para onde levou as pessoas que amei, o que acontece *depois*?"

Ela não responderia, porém teríamos feito a pergunta e reavaliado a nossa trajetória.

Essa é uma das estranhas vantagens de saber que se vai morrer: a vida se mostra em todo o seu esplendor, e nos faz sentir a urgência — não de devorá-la, mas de vivê-la melhor.

o rio do meio

Converso com um amigo sobre Aids. Ele, portador e já doente, alguns dias queixa-se da luta contra o corpo que enfraquece e dói; outras vezes, comenta os projetos, os trabalhos. Acaba de lançar um livro novo, talvez o melhor de todos. Uma visão aguçada pelo recolhimento, pela premência do tempo, ou pelo perfume que prenuncia a Velha Dama: seu texto se reveste não só de dor, mas também de compassiva ironia. Sofrer nos faz melhores? A urgência nos ensina a observar mais detidamente, e saborear melhor as coisas? Procuro consolar:

— Ninguém sabe a hora. Eu posso morrer bem antes de você...

Ele responde, pacientemente:

— Sim. Mas a doença não deixa que eu me distraia da morte...

Talvez, pensei depois, a morte seja um personagem de meus livros para que, escrevendo sobre ela, eu me distraia menos da vida. Pessoas que assumem sua doença ainda tão ligada a preconceito hão de ser os santos dos nossos tempos. Expõem sua dor para que a gente diminua o ritmo, baixe a voz, saia do marasmo. É hora de desligar o som, fugir do trânsito, deixar em paz por um minuto as inúteis palavras — e tentar escutar dentro de nós uma outra linguagem.

Esse amigo me pergunta, depois da sua noite de autógrafos:

— Será que expor assim a dor, diante de tanta gente, não é meio obsceno?

Acho que não. Parece-me belo e triste, e de uma tranquila grandeza — pelo menos do jeito que ele faz.

Jantamos juntos e conversamos longo tempo sobre banalidades, mas também sobre viver e morrer — que deveriam ser igualmente habituais. Ele segurou minha mão e disse:

104 | *lya luft*

— Como tudo é paradoxal. Eu, que sempre fui tão suicida, hoje, que sei que vou morrer, como amo a vida...

Ficamos quietos os dois, varados pela surpresa de tudo. Talvez nós sejamos uns loucos, só isso, e o que importa sejam as máquinas e os bancos, o poder e os preconceitos... quem saberá dizer?

— E se depois da morte descobrirmos que ela não é nada disso que estamos falando, nem liberdade, nem revelação, nem paz? — pergunta o meu amigo doente.

Eu saí brandindo minha espada de Joana d'Arc ou Dom Quixote:

— Então, a gente faz uma banana pra Deus, e viramos uns diabos bem perversos, fazendo um monte de maldades pelo mundo.

Rimos da minha bravata — seria nossa última risada juntos —, mas voltei para casa tendo, mais uma vez, certeza de que a morte é a possibilidade final de compreensão.

●

Por quase três anos alguém foi morrendo, e nem sabia pois se tornara um menininho, de pouca inteligência, mas calmo como quando era saudável. Olhava objetos móveis e coloridos, sorria quando se fazia alguma graça. Filho de seus filhos, deixava-se alimentar de colher, bebia água sozinho, segurando o copo que lhe punham na mão, devagar como se soubesse que não podia se engasgar.

Aos poucos foi se desligando mais: da casa, das pessoas, até que nova crise o deixou quase sempre adormecido. Vez por

o rio do meio | 105

outra, se entravam em seu quarto usando roupa de cor forte e seu olhar estava entreaberto — mas sem fixar nada especial —, talvez se concentrasse por um brevíssimo lapso nesse ponto de cor; depois voltava para dentro, onde enxergava coisas de que os outros não sabiam.

Sua paulatina ausência pervadiu um espaço onde o tempo rolava e as árvores continuavam crescendo. Ele, em seu limbo, já escutava o indizível. Atravessava a porta: pendia do lado do silêncio e da luz, pouco dele ainda estava com os que o amavam.

Foi-se nesse vagaroso barco que tanto demorou para o levar, até finalmente o ciclo se cumprir inteiro.

Quando o amor foi bom a perda dói mais, mas permanece uma raiz vital que faz retornar a esperança. Tímida, a semente se entreabre como quem desperta e boceja; lança um caule muito fino que sobe até a superfície, e um dia sabemos que a vida é de novo possível. Entendemos então que perdas que nos rasgaram nem sempre são irremediáveis. As feridas voltam a fechar, e nenhuma fermentação interior envenenará o tempo dos dias e o espaço dos sentimentos.

●

Mulheres, homens e crianças: tanta luta, tanto desejo de acertar, tanto desânimo vencido, tanto frêmito de beleza, tanto anseio por explicações, tanta esperança renovada. De repente nos informam: quem mais amamos foi marcado, chegou a sua hora; ou nós estamos doentes e vamos morrer; ou alguém muito próximo morre sem que nada nos tivesse preparado —

cai como um pássaro atingido. Não tivemos nem tempo de pensar que estávamos vivos, e que era uma tão grande urgência ser bom, ser decente, ser pensativo, ser paciente, ser curioso, ser cansado, ser decepcionado, ser frustrado, ser generoso, ser amoroso, ser humano.

6 | *Eu falo de ficções como realidade*

"Quem nunca esteve sentado, cheio de medo, diante da cortina do seu coração?"

Rainer Maria Rilke

É preciso registrar fatos que talvez mudem o mundo; denunciar a injustiça que nos desumaniza; gravar a memória das gentes. Alguns autores, porém, falam de dor e desencontro, de loucura e fantasmagoria. Provavelmente é porque só o sabem fazer desse jeito. Não resistem ao impulso de afastar a ramagem diante da gruta, e espiar o poço onde cochila a noite. E essa escolha não foi deles.

Serão pessoalmente difíceis ou atormentados? Nem sempre. Às vezes, quem escreve é apenas um homem que gosta de sua família e seus livros, uma mulher que pela manhã caminha nas calçadas do seu bairro respirando o nascer do dia, e nos fins de semana reúne os filhos adultos que fazem brincadeiras ruidosas como quando ainda eram os meninos de sua mãe.

Eu quis escrever romances desde que me lembro de mim. Antes de aprender a ler, quando me contavam histórias — e em minha casa contavam-se muitas histórias —, achei que aquele

o rio do meio | 111

devia ser o melhor dos brinquedos. Era o jogo que eu queria jogar quando fosse capaz: inventar gente (na minha imaginação eram todos minúsculos, eu é que mandaria neles) e brincar com palavras, essas conchas de música que me assustavam ou divertiam, rolando de um lado para outro em meu pensamento — ou repetidas em voz alta quando ninguém podia ouvir.

Perguntei a meu pai como se explicava que uma pessoa abrisse a boca, fizesse ruídos, e outra soubesse o que aquilo significava: mesa, cadeira, nuvem? Não sei mais o que ele respondeu, mas por um tempo tentei obter, com as pessoas da casa, a explicação que nunca me satisfazia.

Nasci enrolada na teia das palavras, como crianças dos contos infantis nascem sob o sortilégio de alguma fada madrinha — nunca se sabe direito se boa ou má. Naquele tempo tudo ainda era uma voz distante. Bem depois — eu adivinhava — a aventura maior ordenaria que eu decidisse abrir meu próprio ateliê, escolhendo novelos, montando desenhos e conduzindo os fios.

●

Ficcionistas contarão — admitindo ou disfarçando sempre — a sua própria história? Essa pergunta terá tantas respostas quanto escritores deste mundo, até porque tão pouco sabemos de nós mesmos.

Romances são a verdade de minha mentira, parte deles escorre para o lado real, outro tanto transborda para o inventado. A mim, mais me importa o que têm de simbólico e de alegoria, pois neles falam os meus mitos particulares, a maioria dos quais não decifrei, mas tento controlar pelo feitiço da palavra.

lya luft

Os contos de fadas com seus condenados, suas bruxas, o sofrimento como preço de qualquer alegria; o *Velho Testamento para crianças*, com tremendos desenhos em bico de pena, um Deus de olhos satânicos assentado em nuvens de trovão: essas foram as duas grandes influências na minha literatura.

Nas lendas, um príncipe mata dragões para salvar sua amada; uma pequena sereia suporta padecimentos infinitos em seu corpo, para poder amar seu príncipe por algum tempo — pois sabe que em breve há de se desfazer em espuma.

Gnomos e feiticeiras manipulavam os seres humanos; no Céu media-se cada centímetro de possíveis culpas das pessoas, joguetes entre Deus e o Diabo. O pobre Anjo da Guarda do quadro sobre minha cama parecia ingênuo demais para garantir minha travessia naquele precário pontilhão que representava a minha vida. Por isso, quem sabe, alguns personagens meus viveriam ameaçados por algum dedo perverso.

Aos poucos foi se fazendo mais luz: já inventei uma mulher que se construía, um rapaz cuja ambiguidade era afinal respeitada, um amor que talvez pudesse ser vivido depois que os parceiros houvessem amadurecido mais. O mundo nascia do canto de uma mulher, dominava-se o medo pelo sopro humano da palavra.

Porém restou uma gruta com seu guardado. Por alguma razão sinistra da autora? Na verdade, apenas porque sem isso o livro perderia a graça.

•

De onde vem esse cortejo de réus ou reis fazendo comigo esse jogo — quase o jogo do amor?

o rio do meio 113

Brotam do que chamo o caldeirão das bruxas: a memória do vivido, e a minha fantasia. Tudo o que vi e ouvi, senti e sonhei, tudo o que me disseram ou li, tudo o que jamais me habitou antes de meu primeiro pensamento, depositou-se em mim como o limo que se forma dentro de um aquário.

Cada vez que uma dessas criaturas me puxa pela barra da saia é como se eu mexesse com uma varinha no fundo desse inocente vidro — e tudo sobe à tona. Escolhas nem sempre são muito conscientes: interessa o que marca essas criaturas quando começam a viver, e — sendo literatura, portanto fingimento — as torna tão reais. O que não interessar volta para o leito de suas águas.

Nessas criações — que conheço e desconheço — estou e não estou, amo e detesto, me compadeço, me atemorizo ou me sinto solidária. Elas me pungem e divertem, alimentam-me e devoram-me, mas me reconstroem constantemente — desde muito antes de eu escrever a primeira frase do primeiro livro. Creio que também me ajudam a viver com esperança o meu cotidiano.

— Toda noite você devia acender uma vela para os seus personagens, que enlouqueceram em seu lugar — disseram-me, e era uma brincadeira muito séria. Arte é também canalizar em ato produtivo o que poderia ser aniquilamento.

Muitas vezes afirmei que nada tinha a ver com meus personagens: aborrecia-me ser confundida com eles. Hoje digo: sou todos eles, são "eus" possíveis, viajantes do trem dos meus medos e dúvidas — muito além do meu jardim pessoal. Dorme em mim o que será meu, esperando que eu o encontre e queira decifrar, que o tome nos braços e faça dele a voz das minhas entrelinhas. Homem ou mulher, belo ou desfigurado, saudável ou demente, com toda a sua rede de momentos bons ou tragédias.

lya luft

Quando invento e desinvento, quando manejo esses cordéis, são tão reais para mim essas criaturas minhas como se sentassem à minha mesa e vagassem no meu corredor. Quase nenhum lugar que descrevo existe, embora se reconheça uma praia com penhascos, um anjo de bronze num cemitério em que andei, menina ainda. Nunca houve sótãos nas casas onde morei, mas há muitos em meus livros: são, com certeza, os meus esconderijos.

Ninguém que conheci está inteiro em meus livros; muitos estão em pedaços, cacos de humanidade que vou remontando, reorganizando em novos perfis. Vou puxando aqueles fios e com eles vêm as histórias desses personagens que são meus de um modo que nem eu entendo.

•

— Seus personagens são planos ou redondos? — perguntaram-me em uma universidade.

Pareceram espantados quando respondi que não faço a mínima ideia, e se tivesse de pensar nisso acabaria para mim a graça de escrever. Alguns autores falam lucidamente da arquitetura de seus livros: eu, antes, parece que a recebo quase pronta do meu interior, a intuição em seus lampejos pescando em um território que foge às minhas racionalizações.

Talvez por isso a literatura me ocupa bem menos que a vida. Impressiona-me que outros analisem com tanta clareza textos que escrevi: comentários eruditos, profundas aproximações, fazem-me parecer tão grave que chego a me inquietar, como se, de volta aos bancos de escola, andasse outra vez distraída de tarefas importantes.

o rio do meio | 115

Essa de que aí falam sou realmente eu?

— Seus livros evocam os demônios escondidos dentro de todos nós. Qual é, na sua opinião, o mais perigoso de todos os demônios?

Isso nunca tinham me perguntado. Fiquei olhando o mar, protegida por um momento pela fumaça do cigarro.

— Acho que o demônio mais perigoso é o do tédio. Esse "tédio conjugal" em relação a tudo, ao trabalho, aos projetos, aos outros e a si mesmo. Essa desesperança — isso vai solapando qualquer entusiasmo. E vida sem entusiasmo é como festa que perdeu a graça: a gente tem vontade de pegar a bolsa e ir embora.

Eu fazia afirmações sérias que podiam se transformar em armadilhas; a manhã lá fora me contradizia com a cor e o rumor das ondas, e o descompromisso dos corpos no sol.

— O segundo demônio mais perigoso (isso você não perguntou, mas vou dizer) — acrescentei levada pelo voo das analogias — é o do ressentimento. Achar que os outros não nos amaram o bastante, não nos valorizaram como merecíamos, que sempre tivemos azar, portanto, nada foi falha nossa. E permanecemos na infância de uma falsa irresponsabilidade. Mas falar é fácil, e tudo isso é só conversa de bar — concluí, rindo de minha própria seriedade, pois naquela hora as ondas não ninavam afogados, mas estrelas-do-mar.

lya luft

"Por que brota de mim, quando o corpo repousa
e a alma fica a sós, esta insensata rosa?"

Jorge Luis Borges

À s vezes, no meio duma atividade bem comum — as árvores ainda são as mesmas que plantou há tantos anos, nem ao menos está ouvindo sua música predileta —, baixa sobre ela esse estado em que sem raciocinar, num instante que parece eterno, compreende a ordem das coisas. O sentido de tudo lhe aparece, vindo de dentro, onde tudo é fresco, silencioso, e está na penumbra.

Não importam os trabalhos e fracassos, os eventuais desencontros, a solidão ou as contas a administrar, as dores que se anunciam como num túnel que dá medo.

Num vislumbre ela sabe: está tudo em ordem tal como está. E isso a alimentará até que essa força de novo se desgaste. Permanece dentro dela — aparentemente inútil — ou servirá para mais uma daquelas suas invenções.

•

Um devaneio pode (ou não) tornar-se matéria de ficção. Nasce ao acaso — e a maioria nunca será um romance. Muitas fantasias morrem ali mesmo, voltam ao que alguns chamam inconsciente. Se forem necessárias para um futuro livro, hão de

o rio do meio **|** 117

reaparecer na hora certa: com o tempo aprende-se a lidar com suas próprias manias também no trabalho.

É o que sei desses duendes que aguardam algum chamado aleatório para saltar no palco do seu teatro de sombras e representar, enquanto eu — diretora, autora do texto e plateia — aqui e ali também faço uma pequena ponta.

7 | *Notas para um roteiro improvável*

*Q*uem é essa, agora, que dentro de mim me assusta e me atrai? Sorrateira, ela sou eu ou é alguma sombra que me segue como um bicho rastejando nos calcanhares de minha alma? Lá está, lá está, e sabe tudo, faz tudo: eu sou apenas ferramenta, garganta pela qual ela chama, chama, chama.

A quem deseja, a quem busca, a quem quer?

•

O que habita um porão, além do frio úmido e silencioso?

Por que tive tanto medo da noite soterrada debaixo da minha casa, do soluço dos ventos encanados que povoava o sótão? Quem largara aqueles objetos sem saber as mãos e olhares que os haveriam de violar, em que futuro tempo?

o rio do meio | 121

Também eu queria permanecer; temia a solidão do esquecimento. Quando vissem um dia minhas velhas roupas, minha boneca, minhas cartas de amor — saberiam quem foi, afinal, aquela, e a morte não seria, então, definitiva?

Uma velha espingarda que serviu para caçar, e sua bala pode ter arrebentado um coração humano. Uma cítara de cordas partidas. Uma jarra de louça quebrada nas beiras, branca e azul, os corpos que com ela se lavaram há muito perderam as carnes da sensualidade.

Mais, muito mais resiste ali: passos ecoam descendo aqueles três degraus; alguém deixou naqueles objetos a marca de um derradeiro toque. Gente povoa esse lugar: mais que memórias, vozes e odores.

Num sótão, o que vigia além das botas cambaias, da arca com sedas amarelas, dos cadernos cobertos de letra fina, dos tachos foscos e do berço de madeira maciça? Brinquedos, uma boneca vestida de dama. Num canto, o espelho onde se refletiram mãos despedindo-se de um rosto amado; vultos se viram, abrem-se lábios — tudo mergulhado numa claridade que nem sabemos direito se é de sol ou luar.

A humana sorte ainda perdura ali, e me chama para que eu a conte.

●

Essa mulher agachada no fundo do corredor, boca entreaberta de pasmo e ânsia, outras vezes fechada em recolhimento e doçura, essa mulher que espreita pelos cantos da casa e do mundo, quem é ela? Ninguém me conhece, dirá. Ninguém sabe quem sou. Ninguém tem a ver realmente com essa raiz que brota do tempo e vem, e vem, e vem, como vem o grande gozo do amor ou a fulguração da morte.

Essa que escreve em mim, quando criança via o mundo sempre de outro prisma. E é ainda o dela, o da mulher do porão: de seus olhos escorre o visgo da sedução fatal e esplêndida, de sua boca as palavras da sabedoria última, de seus peitos o leite da proteção infalível, de seu ventre o cordão da vida que se desenrola de século em século, mas ela está ali, a grande amante, a grande mãe, a grande.

E ela vê, e uiva, quando de noite saio da casa e me sento no jardim e levanto o rosto para que o luar me tisne.

●

Uma mulher na sala e no quarto, pensando na vida, brincando com crianças, preparando comida, tecendo um tapete.

Uma mulher no subterrâneo escuro feito um bicho, assustadora e bela. Nada precisa fazer senão existir: a manhã e a noite nascem de seus olhos.

Uma mulher sonâmbula sobre o telhado, fascinada pela lua, embalando-se ao som de uma melopeia que os anjos escutam, nesse estado de maravilhamento que só a arte pode instaurar.

A mulher selvagem aparece sem que eu a tenha invocado, quer que eu fale dela: seu cabelo é musgo, sua urina é fonte, sua saliva é chuva, sua raiva é furor de vulcões, seu desdém é a neve dos invernos, seu sexo é o oco do fim do mundo.

●

o rio do meio | 123

Algumas mulheres vivem no centro: a concretude não demasiada; a ternura não muito cálida; a alegria não muito vital. São as mães que podem ser. Não terão as filhas que acham que deveriam ter. A mulher do porão faz bruxedos de noite no pátio, nas esquinas deposita suas oferendas. E a dos beirais de todos os telhados busca o último reflexo do arco de um voo no pôr do sol.

Todas somos cada uma delas.

Quem harmoniza as três? Isso que em mim, em nós, vive, fala, anda, dança, me abraça e é nosso desejo de viver e crescer e entender e amar e abrigar e ter também braços e abraços e colo e refúgio... e de ser apenas humana, apenas humana.

●

Ela (não importa quem era) estava sentada, livro na mão, olhando algum ponto fora da janela. Entrei na sala para lhe dar um recado, porque era sempre como se estivéssemos as duas vivas — mas engoli antes do primeiro som, inspirei as palavras de volta ao lugar de onde nasce tudo o que digo a essa pessoa que mais amo. Parecia ler, na postura inocente de uma mulher com um livro diante da janela. Mas seu corpo estava alguns centímetros acima da poltrona, seus pés longe do assoalho, uma sandália caíra no chão, a outra pendia da ponta do pé. Não era o livro que olhava: lia uma página do seu texto interior que fala de chama, vento, ilha, coisas muito mais reais do que uma sala, pessoas e carros. Fazia isso como muitas mulheres certamente poderiam fazer, mas se contêm para que outros, percebendo, não se perturbem.

Nunca pergunto a ninguém se quando estou em meu estado de sonho pairo um pouquinho acima do chão. Isso não me tornaria menos viva, nem menos real.

124 | lya luft

8 | *Deus é sutil*

'Deus é sutil, mas não é maldoso."

Einstein

Entre sótãos e porões segue o rio do meio. Não interrompe seu curso quando dormimos ou comemos, quando amamos ou nos frustramos, quando executamos projetos ou achamos que nossa força acabou.

Na margem, garças distraídas. Inesperadamente uma delas joga-se no que parece o mergulho definitivo, mas voltará depois de varar o escuro, bico apontando para um sol que já não cega mais.

Uma torrente vara a nossa casa: demora-se no cotidiano, dispara nas euforias, arrasta destroços ou empurra esperanças, às vezes por gargantas noturnas.

Mas há de emergir — com os ímpetos de um parto — numa explosão de claridade. Isso, somos.

o rio do meio | 127

Este livro foi composto na tipologia Minion Pro
Regular, em corpo 11,5/15, e impresso em papel
off-white 90g/m² no Sistema Cameron da
Divisão Gráfica da Distribuidora Record.